KB085536

인기 강사 100명 강력 추전

안쌤의

# 최상위 줄기과학

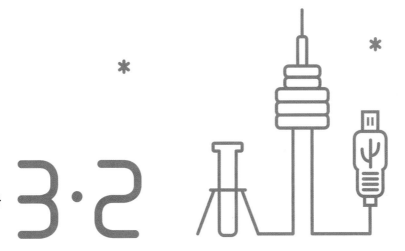

초등 3·2

# 구성과 특징

## 개념

교과서 핵심 내용을 간결하면서도 이해하기 쉽게 설명해 놓았습니다. 또한, 풍부한 시각 자료가 있어 개념이 확실히 잡히도록 구성하였습니다.

### 🌱 개념 더하기
교과서 개념을 이해하는 데 도움이 되는 설명들로 구성하였습니다.

### 🌱 탐구
단원의 중요 탐구를 제시하여 중요 내신형 탐구 문제를 쉽게 해결할 수 있도록 구성하였습니다.

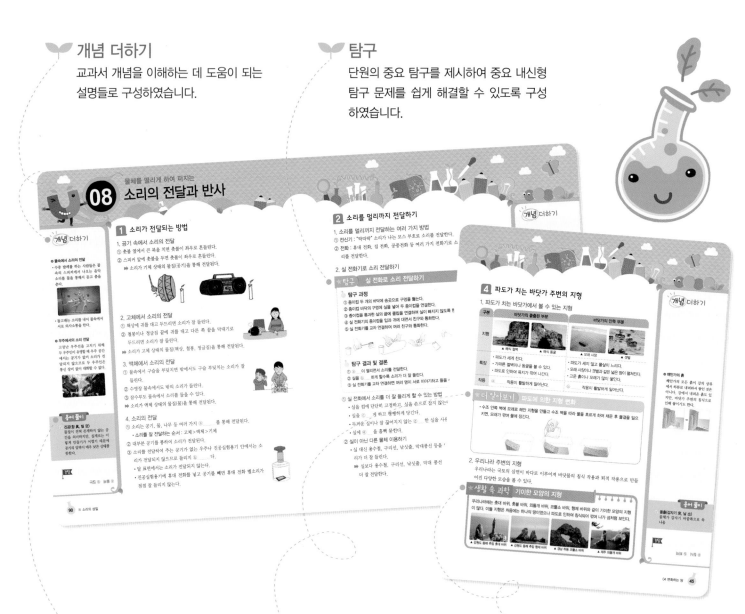

### 🌱 용어 풀이
한자의 뜻을 알면 용어의 뜻을 잘 이해할 수 있어 과학 용어를 잘 기억할 수 있습니다.

### 🌱 더 알아보기
학교 시험에 나올 수 있는 문제를 대비하여 교과서 개념을 응용하거나 적용된 실생활 내용으로 구성하였습니다.

### 🌱 생활 속 과학
새 교육과정의 융합인재교육(STEAM)에서 강조하고 있는 생활 속 과학을 교과서 개념이 적용된 내용으로 구성하였습니다.

# 문제 구성

교과서 핵심 내용 파악을 확실히 했는지 확인하기 위한 객관식 문제 유형과 서술형 문제 유형을 구성하였습니다. 또한 새 교육과정에서 강조하는 융합인재교육(STEAM)을 위한 융합사고력 문제 유형과 STEAM 실험실로 탐구력 향상 문제 유형을 구성하였습니다.

## 🌱 개념 기르기

개념을 확실히 파악했는지 학교 시험에 잘 나올만한 문제를 통해 기초를 튼튼히 기를 수 있도록 구성하였습니다.

## 🌱 서술형으로 다지기

학교 시험에서 마지막에 등장하는 서술형 문제를 집중적으로 연습할 수 있고, 문제를 해결하기 위한 사고의 흐름을 🔍손에잡히는 문제해결로 제시하여 문제해결력을 다질 수 있도록 구성하였습니다.

## 🌱 융합사고력 키우기

창의 서술형 평가로 새롭게 등장한 융합형(STEAM) 문제를 대비할 수 있도록, 신문기사(NIE), 실생활 속 제품, 과학사 등의 지문을 이용하여 서술형 문제와 논술형 문제를 넣고, 🔍손에잡히는 문제해결로 융합적 사고의 흐름을 제시하여 융합사고력을 키울 수 있도록 구성하였습니다.

## 🌱 탐구력 키우기

새 교육과정으로 등장한 단원별 마무리 STEAM 활동처럼 단원을 STEAM 탐구로 마무리할 수 있도록 구성하였습니다.

## 문제 구성 속 아이콘

### ⓐ 개념 속 빈칸

눈으로만 보는 개념보다 빈 칸을 채워가며 완성하는 개념이 학습에 도움이 됩니다. 이를 위해 핵심 개념에 빈칸을 넣어 구성하였습니다.

### 정답 개념 속 빈칸 정답

빈칸을 채워가며 개념을 완성하는 데 정답 확인이 번거롭지 않도록 개념 페이지 하단에 정답을 넣었습니다. 답을 바로바로 확인하면서 개념 페이지를 완성할 수 있습니다.

### ⭐ 중요

출제 빈도가 높은 문제에는 중요 아이콘을 표시했습니다. 이 문제는 확실히 이해하고 넘어가도록 합니다.

### 신유형

새 교육과정에 맞춰 새롭게 등장한 유형으로 학교 시험 예상 문제입니다.

### 논술형

최근 창의 서술형 평가로 새롭게 등장한 논술형 문제를 대비할 수 있도록 구성하였습니다.

# 차례

# I 동물의 생활

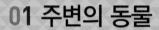

이 단원의 주요 내용

동물의 생김새와 특징을 이해하고, 공통점과 차이점을 찾아 분류해 본다. 동물의 생활 방식이 사는 곳의 환경과 어떤 관련이 있는지 알아보고, 동물의 특징을 모방하여 활용한 사례를 알아본다.

⭐ 2015 개정 교육과정 교과서

　초등 3~4학년 군 :
　　　3학년 2학기 1단원 동물의 생활

⭐ 다른 학년과의 연계

　초등 3~4학년 군 : 동물의 한살이
　초등 5~6학년 군 : 생물과 환경
　중학교 1~3학년 군 : 생물의 다양성, 동물과 에너지

# 01 주변의 동물

## 1 주변에서 볼 수 있는 동물

### 1. 주변의 동물을 찾아 관찰하기

① 주변에서 동물을 찾을 수 있는 장소

- 학교나 집 주변의 나무가 있는 곳
- 화단의 꽃이나 식물의 잎
- 돌 밑, 낙엽, 나무껍질 속
- 물웅덩이와 그 주변
- 집 안
- 건물의 턱 아래, 갈라진 틈, 모서리

▲ 나무

▲ 화단의 꽃

▲ 낙엽

▲ 물웅덩이

② 우리 주변에 살고 있는 동물

- 학교나 집 주변 공원 등의 나무 : 참새, 직박구리, 까치, 비둘기 등
- 나무 : 매미, 곤충의 애벌레, 무당벌레 등
- 화단에 피어 있는 꽃 주변 : 지렁이, 공벌레, 개미, 집게벌레, 거미 등
- 물웅덩이 : 물고기, 소금쟁이, 잠자리 애벌레(수채), 모기 애벌레(장구벌레), 물방개 등
- 집 : 애완동물(개, 고양이, 햄스터, 십자매, 잉꼬, 금붕어 등), 가축(소, 염소, 돼지, 닭, 오리 등), 개미, 바퀴벌레, 모기, 파리, 거미 등

### 2. 동물을 관찰한 결과 기록하기

| 동물 이름 | 장소 | 특징 | |
|---|---|---|---|
| 까치 | 화단, 나무 위 | • 몸이 검은색과 하얀색으로 되어 있다. <br> • 날개가 있어 날 수 있다. | |
| 공벌레 | 화단, ⓐ_____ | • 몸이 여러 개의 마디로 되어 있다. <br> • 건드리면 몸을 공처럼 둥글게 만든다. | |
| ⓑ_____ | 화단 | • 몸이 검은색이고 세 부분으로 구분된다. <br> • 여섯 개의 다리로 움직인다. | |
| ⓒ_____ | 화단 | • 다리가 여덟 개이다. <br> • 배에 노란색과 검은색 줄무늬가 있다. | |
| 개구리 | ⓓ_____ | • 눈이 크고 몸이 매끄럽다. <br> • 다리가 네 개이고 뒷다리가 더 길며 물갈퀴가 있다. | |

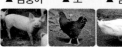

| 나비 | 꽃밭, 화단 | • 날개가 크고 검은색 줄무늬가 있다.<br>• 긴 대롱 모양의 입을 뻗어 꿀을 빨아 먹는다. | |
|---|---|---|---|
| 달팽이 | 화단 | • 딱딱한 ⓐ_____로 된 집이 있다.<br>• 미끄러지듯이 움직인다. | |
| 소금쟁이 | 물웅덩이 | • 다리가 ⓑ_____ 개이고 네 개는 매우 길다.<br>• 물 위를 미끄러지듯이 움직인다. | |

### 3. 주변에 많은 동물들이 살고 있지만 평소에 잘 볼 수 없는 이유

① 주변 환경과 비슷한 ⓒ_____과 모양을 가지고 있기 때문이다.

② 개미, 파리, 벌은 너무 작기 때문이다.

③ 돌이나 땅속, 잎 뒷면 등에 있어 관찰하기 힘들기 때문이다.

④ 야행성 동물은 낮에는 안전한 곳에서 쉬고 주로 밤에 활동하기 때문이다.

⑤ 주변의 동물에 대하여 관심을 가지지 않았기 때문이다.

⑥ 동물이 나를 보고 멀리 달아나거나 몸을 숨기기 때문이다.

## ★더 알아보기  동물이 자신을 지키는 다양한 방법

• **색깔을 주변 환경과 비슷하게 한다.** ➡ 보호색
천적의 눈에 쉽게 띄지 않아 몸을 보호할 수 있고, 몰래 먹이에 다가갈 수 있어 사냥 성공률이 높다. 예 나방의 애벌레, 도요새 등

▲ 나방의 애벌레　▲ 도요새

• **모양을 주변 환경과 비슷하게 한다.** ➡ 의태
천적의 눈에 쉽게 띄지 않아 몸을 보호할 수 있다.
예 가지나방 애벌레, 자나방 애벌레 등

▲ 가지나방 애벌레　▲ 자나방 애벌레

• **모양이나 색깔이 주변 색과 대비되어 잘 보이게 하여 적에게 자신을 알린다.** ➡ 경계색
보통 독이 있거나 지독한 냄새가 나거나 맛이 고약하다. 자신이 위험하거나 먹기 힘들다는 것을 적에게 적극적으로 알릴 수 있도록 눈에 잘 띄는 색을 가진다.
예 독화살개구리, 무당벌레, 장수말벌, 고추침노린재 등

▲ 독화살개구리　▲ 무당벌레

• **몸에 독을 가지고 있다.**
강렬한 독을 이용하여 적을 위협한다.
예 살모사, 전갈, 유혈목, 복어, 거미, 벌, 지네, 해파리 등

▲ 살모사　▲ 전갈

• **다른 동물을 모방한다.**
독이 있는 동물의 생김새나 움직일 때의 소리, 독침 등을 비슷하게 모방하여 적을 속여 자신을 지킨다.
예 꽃등에, 좀말벌, 주홍박각시나방 애벌레, 장수말벌 등

▲ 꽃등에　▲ 좀말벌

## 개념 더하기

● 경계색을 가진 동물

▲ 장수말벌

▲ 고추침노린재

● 몸에 독을 가지고 있는 동물

▲ 유혈목　▲ 복어
▲ 거미　▲ 벌

▲ 지네　▲ 해파리

● 다른 동물을 모방한 동물

▲ 주홍박각시
나방 애벌레

▲ 장수말벌

**정답** ⓐ 껍데기 ⓑ 여섯 ⓒ 색깔

# 01 주변의 동물

## 개념 더하기

● **다양한 생물의 관찰 방법**
① 오감을 이용한 관찰
- 눈(시각) : 물체의 색깔, 밝기, 모양, 크기, 거리, 움직임 등
- 코(후각) : 냄새
- 입(미각) : 맛
- 귀(청각) : 소리
- 피부(촉각) : 온도, 거친 정도 등
② 도구를 이용한 관찰 : 사람이 가지는 감각 기관의 한계를 보완하여 주는 도구를 이용하여 관찰하면 더 자세하고 다양한 정보를 얻을 수 있다. 예 돋보기, 망원경, 쌍안경, 현미경, 온도계, 청진기 등

### 2 관찰한 동물의 생김새와 특징을 자세하게 관찰하기

| 동물 이름 | 예 개구리 |
|---|---|
| 알고 싶은 내용 | • 우리나라에 사는 개구리의 종류<br>• 개구리의 먹이<br>• 개구리가 겨울을 나는 방법<br>• 개구리가 우는 까닭 |
| 조사 방법 | • 동물 도감, 백과사전, 인터넷 이용하기, 과학자나 선생님께 여쭤보기 |
| 알게 된 내용 | • 참개구리, 청개구리, 산개구리 등 10종류가 있다.<br>• 잠자리, 파리, 거미 등의 작은 동물을 잡아 먹는다.<br>• 개구리는 물속에 ⓐ_____을 낳아 대를 잇는다.<br>• 개구리는 땅속이나 얼지 않은 물속에서 ⓑ_____을 잔다.<br>• 개구리가 우는 까닭은 수컷이 암컷을 부르기 위해서이다. |

### 3 여러 가지 동물을 관찰하고 분류하기

1. 동물을 관찰하고 공통점과 차이점 찾기
① 다람쥐 관찰
- 다리가 ⓒ____ 개이다.
- 몸이 ⓓ____로 덮여 있다.
- 꼬리가 있다.
- 날개가 없다.

② 다람쥐의 생김새나 특징과 비슷한 동물 찾아보기
- 다리가 네 개이다. : 고양이, 개구리 등
- 몸이 털로 덮여 있다. : 고양이, 개 등
- 날개가 없다. : 달팽이, 개구리, 거미, 공벌레, 개미 등

③ 호랑나비와 잠자리의 공통점과 차이점 찾아보기

| 공통점 | 차이점 |
|---|---|
| • 날개가 네 장이다.<br>• 다리가 여섯 개이다.<br>• 머리, 가슴, 배로 구분된다.<br>• 더듬이가 있다.<br>• 몸에 줄무늬가 있다. | • 나비는 날개가 넓고, 잠자리는 날개가 좁다.<br>• 나비는 더듬이가 길고, 잠자리는 짧다.<br>• 나비는 입이 긴 대롱 모양이고, 잠자리는 이빨이 있어 씹을 수 있다.<br>• 나비보다 잠자리가 배의 길이가 더 길다. |

호랑나비

잠자리

## 2. 특징에 따라 동물 분류하기

> 개구리, 개미, 거미, 고양이, 공벌레, 나비,
> 다람쥐, 달팽이, 붕어, 잠자리, 직박구리, 참새

### ① 날개가 있는 동물과 없는 동물

| 날개가 있는 동물 | 날개가 없는 동물 |
| --- | --- |
| 나비, 잠자리, 직박구리, 참새 | 개구리, 개미, 거미, 고양이, 공벌레, 다람쥐, 달팽이, 붕어 |

### ② 곤충인 것과 곤충이 아닌 것

| 곤충인 것 | 곤충이 아닌 것 |
| --- | --- |
| 개미, 나비, 잠자리 | 개구리, 거미, 고양이, 공벌레, 다람쥐, 달팽이, 붕어, 직박구리, 참새 |

### ③ 더듬이가 있는 것과 더듬이가 없는 것

| 더듬이가 있는 것 | 더듬이가 없는 것 |
| --- | --- |
| 개미, 공벌레, 나비, 달팽이, 잠자리 | 개구리, 거미, 고양이, 다람쥐, 붕어, 참새, 직박구리 |

### ④ 발가락이 있는 동물과 없는 동물

| 발가락이 있는 동물 | 발가락이 없는 동물 |
| --- | --- |
| 개구리, 고양이, 다람쥐, 직박구리, 참새 | 개미, 거미, 공벌레, 나비, 달팽이, 붕어, 잠자리 |

### ⑤ 다리의 개수에 따른 분류

| 없음 | 두 개 | 네 개 | 여섯 개 이상 |
| --- | --- | --- | --- |
| 달팽이, 붕어 | 직박구리, 참새 | 개구리, 고양이, 다람쥐 | 개미, 거미, 공벌레, 나비, 잠자리 |

### ⑥ 먹이의 종류에 따른 분류

| 초식 | 육식 | 잡식 |
| --- | --- | --- |
| 나비, 달팽이 | 개구리, 거미, 고양이, 잠자리 | 개미, 공벌레, 다람쥐, 붕어, 직박구리, 참새 |

### 개념 더하기

● 여러 가지 동물의 모습

▲ 개구리

▲ 개미

▲ 거미

▲ 고양이

▲ 공벌레

▲ 나비

▲ 다람쥐

▲ 달팽이

▲ 붕어

▲ 잠자리

▲ 직박구리

▲ 참새

### 용어 풀이

☑ 분류(나눌 分, 무리 類)
어떤 목적을 가지고 사물을 그 공통적인 특징 조건에 따라 같은 무리로 묶거나 다른 무리로 구분하는 과정

# 개념기르기

**01** 다음 중 화단에 피어 있는 꽃 주변에서 살고 있는 우리 주변의 동물은 어느 것입니까? ( )

① ▲ 다람쥐

② ▲ 참새

③ ▲ 개미

④ ▲ 소금쟁이

⑤ ▲ 고양이

**02** 다음 중 주변에서 동물을 찾을 수 있는 장소로 옳지 않은 것은 어느 것입니까? ( )

① 냉장고 속
② 화단의 꽃
③ 나무껍질 속
④ 집 주변의 나무
⑤ 돌 밑이나 낙엽

신유형

**03** 다음 글은 어느 동물을 관찰하여 기록한 내용입니다. 이 동물의 이름으로 옳은 것은 어느 것입니까? ( )

• 눈이 크고 몸이 매끄럽다.
• 다리가 네 개이고 뒷다리가 더 길다.

① 까치
② 낙타
③ 거미
④ 개구리
⑤ 달팽이

**04** 다음 동물을 관찰하여 기록한 내용으로 옳은 것은 어느 것입니까? ( )

① 다리가 여덟 개이다.
② 딱딱한 껍데기로 된 집이 있다.
③ 물 위를 미끄러지듯이 움직인다.
④ 몸이 여러 개의 마디로 되어 있다.
⑤ 긴 대롱 모양의 입을 뻗어 꿀을 빨아 먹는다.

주요

**05** 다음 〈보기〉 중 주변에 많은 동물들이 살고 있지만 평소에 잘 볼 수 없는 이유로 옳은 것을 모두 고른 것은 어느 것입니까? ( )

보기
㉠ 주변 환경과 비슷한 색깔과 모양을 가지고 있기 때문이다.
㉡ 주변의 동물에 대하여 관심을 가지지 않았기 때문이다.
㉢ 벌레 퇴치제 등을 많이 사용하기 때문이다.
㉣ 동물이 나를 보고 멀리 달아나거나 몸을 숨기기 때문이다.

① ㉠, ㉢
② ㉡, ㉣
③ ㉠, ㉡, ㉢
④ ㉠, ㉡, ㉣
⑤ ㉡, ㉢, ㉣

**06** 다음 〈보기〉 중 사진 속 다람쥐를 관찰한 내용으로 옳은 것을 모두 고른 것은 어느 것입니까? (      )

보기
㉠ 꼬리가 있다.
㉡ 다리가 두 개이다.
㉢ 몸이 털로 덮여 있다.
㉣ 팔에 날개막이 있다.

① ㉠, ㉡          ② ㉠, ㉢
③ ㉡, ㉢          ④ ㉠, ㉡, ㉢
⑤ ㉡, ㉢, ㉣

**07** 다음 중 호랑나비와 잠자리의 공통점으로 옳지 않은 것을 모두 고르시오. (      ,      )

① 더듬이가 길다.
② 날개가 네 장이다.
③ 다리가 여섯 개이다.
④ 이빨이 있어 씹을 수 있다.
⑤ 머리, 가슴, 배로 구분된다.

**08** 다음과 같이 동물을 분류한 기준으로 옳은 것은 어느 것입니까? (      )

| 사슴, 토끼, 소 | 사자, 상어, 뱀 |

① 몸의 크기가 큰 동물과 작은 동물
② 다리가 네 개인 동물과 없는 동물
③ 육지에 사는 동물과 바다에 사는 동물
④ 식물을 먹는 동물과 동물을 먹는 동물
⑤ 몸이 털로 덮인 동물과 털이 없는 동물

**09** 다음 중 동물을 분류하는 기준으로 옳지 않은 것은 어느 것입니까? (      )

① 몸의 크기          ② 먹이의 종류
③ 날개의 유무        ④ 동물의 가격
⑤ 다리의 개수

**10** 더듬이가 있는 동물과 없는 동물로 분류한 것 중 잘못 분류된 동물은 어느 것입니까? (      )

| 더듬이가 있는 동물 | 더듬이가 없는 동물 |
| --- | --- |
| 개미, 공벌레, 거미 | 붕어, 박쥐 |

① 거미          ② 개미
③ 붕어          ④ 박쥐
⑤ 공벌레

# 서술형으로 다지기

### 손에 잡히는 문제 해결

동물의 분류 기준은 무엇이 있을까요?

▼

(가) 동물들의
공통점은 무엇인가요?

▼

(나) 동물들의
공통점은 무엇인가요?

**01** 다음 그림과 같이 동물을 분류한 기준을 적어보세요.

(가)

(나)

### 손에 잡히는 문제 해결

생물의 분류 기준은 무엇이 있을까요?

▼

생물을 비슷한 것끼리 분류하면
무엇을 알 수 있나요?

▼

일정한 기준을 정해 분류할 때
좋은 점은 무엇인가요?

**02** 날개가 있는 동물과 없는 동물, 먹이의 종류에 따른 분류, 다리의 개수에 따른 분류, 몸의 크기에 의한 분류 등 생물을 일정한 기준을 정하여 분류하는 이유를 적어보세요.

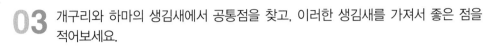

**03** 개구리와 하마의 생김새에서 공통점을 찾고, 이러한 생김새를 가져서 좋은 점을 적어보세요.

▲ 개구리

▲ 하마

손에 잡히는 문제 해결

개구리의 눈과 코의 위치를 관찰해 봅니다.

▼

하마의 눈과 코의 위치를 관찰해 봅니다.

▼

개구리와 하마가 사는 곳은 어디인가요?

**04** 다음은 매의 부리, 콩새의 부리, 청둥오리의 부리, 왜가리의 부리 모습입니다. 부리의 모양이 서로 다른 이유와 각 부리의 장점을 적어보세요.

매

콩새

청둥오리

왜가리

새의 부리

손에 잡히는 문제 해결

부리에 따라 먹이의 종류가 어떻게 다른가요?

▼

열매를 먹기에 유리한 부리와 고기를 먹기에 유리한 부리는 무엇인가요?

▼

긴 부리와 넓적한 부리는 무엇이 유리할가요?

## 제브라피시, 실험실 쥐의 자리를 빼앗다.

은회색 바탕에 검은 가로 줄무늬가 선명한 물고기. 얼룩말을 닮은 무늬가 아름다운 데다 기르기도 쉬워 물고기를 좋아하는 이들에게 인기 있는 관상어, 바로 제브라피시(zebrafish)다.

해외에서는 1990년대부터 제브라피시를 이용해 생물 발달과정이나 당뇨, 암, 정신질환 관련 신약 연구, 뇌신경 연구 등을 하고 있다. 우리나라도 요즘 들어 실험동물로 제브라피시에 관심을 갖고 있다.

▲ 제브라피시

한국한의학연구원 한약연구본부 당뇨합병증 연구팀은 2010년에 제브라피시 사육실을 따로 만들었다. 한약재를 이용한 천연신약 후보물질을 찾을 실험동물로 제브라피시를 이용하기 위해서다. 당뇨합병증에 효과 있는 한약재를 찾는 과정에 제브라피시를 활용하면서 연구 속도가 빨라지고 있다. 당뇨로 인한 고혈당이 계속되면 망막 내 혈관이 망가져 시력을 잃게 되는데, 이를 예방하고 치료하기 위한 신약 후보물질을 한약재에서 찾고 있다. 제브라피시는 후보물질들의 약효 검증에 쓰인다. 물고기에 당뇨를 일으킨 뒤 다양한 한약재를 이용해 망막의 상태를 살피는 방식이다. 제브라피시는 온몸이 투명하기 때문에 혈관에만 초록색 형광물질이 빛나게 만들면 당뇨합병증으로 인한 비정상적인 혈관 구조를 관찰하기가 편하고, 특정 한약재에 대해 혈관이 반응하는 것도 관찰하기 편하다.

그러나 이렇게 다양하게 쓰이고 있는 제브라피시의 국내 보급은 더디다. 유전자변형생물체 규제법에 걸려 외국에서 이미 형질전환한 연구용 제브라피시를 국내로 쉽게 들일 수 없기 때문이다.

제브라피시

**1** 제브라피시를 이용하면 다양한 한약재에 따른 망막의 상태를 관찰하기 쉽습니다. 이는 제브라피시의 어떤 특징을 이용한 것인가요?

**2** 제브라피시가 실험실 쥐의 자리를 빼앗을 수 있는 이유를 제브라피시의 특징을 참고하여 <u>3가지</u> 적어보세요.

> ● 제브라피시의 특징
> 척추동물인 제브라피시의 성어는 3~4 cm이며, 한살이 기간이 비교적 짧아 수 정란을 얻기 쉽다. 성어의 암컷은 수일 간격으로 50~200개의 알을 산란한다. 수정 후 24시간 내에 대부분 중요한 기관이 형성되고, 투명하며 비교적 적은 수의 세포로 이루어져 있다.

손에 잡히는 STEAM

실험실에서 쥐를 활용하는
이유는 무엇일까요?

▼

제브라피시는 쥐에 비해
어떤 장점이 있나요?

▼

제브라피시의 특징으로
연구하기에 좋은 점은 무엇일까요?

논술형
**3** 당뇨합병증에 효과가 있는 한약재를 찾는 과정에 제브라피시를 활용하면서 연구 속도가 빨라지고 있습니다. 제브라피시의 특징을 이용하여 연구할 수 있는 부분을 <u>3가지</u> 적어보세요.

손에 잡히는 STEAM

제브라피시는 어떤 특징이 있나요?

▼

연구하기에 유용한
제브라피시의 특징은 무엇인가요?

▼

그 특징을 이용할 수 있는
연구 주제로는 무엇이 있을까요?

# 02 사는 곳에 따른 동물의 생활

## 1 땅에 사는 동물의 특징

### 1. 땅의 환경의 특징
① 흙, 풀, 나무가 있다.
② 식물 등 ⓐ_____를 제공한다.
③ 집을 지을 장소와 재료를 제공한다.
④ 휴식처를 제공한다.

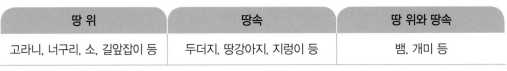

### 2. 땅에 사는 동물

| 땅 위 | 땅속 | 땅 위와 땅속 |
|---|---|---|
| 고라니, 너구리, 소, 길앞잡이 등 | 두더지, 땅강아지, 지렁이 등 | 뱀, 개미 등 |

### 3. 땅에 사는 동물의 이동 방법
① 다리가 있는 동물 : ⓑ_____나 뛰어서 이동한다. 예 고라니, 너구리, 소, 개미, 두더지 등
② 다리가 없는 동물 : 배를 땅에 대고 ⓒ_____서 이동한다. 예 뱀, 지렁이 등

### 4. 땅에 사는 동물의 특징
① 다리가 있는 동물은 걷거나 뛰어서 이동하고, 일부는 기어서 이동한다.
② 공기 중에서 숨을 쉴 수 있다.

### 5. 땅에 사는 작은 동물 관찰
① 땅에 사는 작은 동물 : 개미, 공벌레, 지렁이 등
② 작은 동물 관찰 시 사용하는 도구 : 돋보기, ⓓ_____
③ 공벌레를 맨눈과 도구로 관찰한 결과

▲ 돋보기    ▲ 루페

| 맨눈으로 관찰한 결과 | 도구로 관찰한 결과 |
|---|---|
| • 전체적으로 회색 또는 갈색이다.<br>• 머리, 가슴, 배의 구분이 잘되지 않는다.<br>• 머리에는 더듬이가 있다.<br>• 일곱 쌍의 다리가 있지만 세기 힘들다.<br>• 다리로 빠르게 움직인다.<br>• 건드리면 몸을 공처럼 둥글게 만든다. | • 머리에 한 쌍의 눈이 있다.<br>• 더듬이가 여러 개의 마디로 되어있다.<br>• 몸에는 털이 없다.<br>• 일곱 쌍의 다리가 있다.<br>• 다리에는 털이 있고 끝이 매우 날카롭다. |

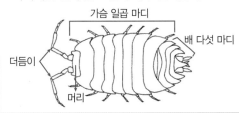
가슴 일곱 마디
배 다섯 마디
더듬이
머리

---

## 2 물에 사는 동물의 특징

### 1. 물속 환경

① 물이 있는 곳

- 물이 고여 있는 곳 : 웅덩이, 연못, 저수지, 호수, 바다 등
- 물이 흐르는 곳 : 계곡, 하천, 강, 바다 등

② 물속 환경의 특징

- 물속에서는 숨을 쉬기 힘들다.
- 공기 중보다 저항이 심하여 앞으로 나아가기 힘들다.
- 깊은 곳으로 가면 압력이 커지고 빛이 적게 들어온다.
- 육지에 비하여 온도 변화가 작다.
- 바다는 넓으며 소금기가 많은 물로 채워져 있고 높은 파도가 생긴다.

### 2. 물에 사는 동물

| 강과 호수 | | 바다 | |
|---|---|---|---|
| 물속 | 물가 | 물속 | 갯벌 |
| 납자루, 미꾸리, 붕어, 피라미, 물자라, 조개, 다슬기, 메기 등 | 개구리, 수달, 왜가리 등 | 상어, 오징어, 고등어, 가오리, 전복 등 | 조개, 게, 망둑어, 갯지렁이, 도요새 등 |

### 3. 물에 사는 동물의 특징

① ⓐ_____ 나 지느러미처럼 생긴 다리를 이용하여 물속에서 헤엄친다.

② 주로 ⓑ_____ 를 이용하여 물속에서 숨을 쉰다.

③ 빠르게 헤엄치는 동물의 몸은 대부분 ⓒ_____ 형으로 되어 있다.

### 4. 물가에 살고 있는 동물

① 물가에 살고 있는 동물 : 왜가리, 해오라기, 도요새, 수달, 물개, 개구리 등

② 왜가리, 수달, 개구리가 물가를 찾는 이유

- 원하는 먹이를 쉽게 잡을 수 있다.
- ⓓ____ 을 구하기 쉽다.
- 개구리는 피부를 축축하게 하여 숨을 쉰다. 피부가 마르면 숨을 쉬기 어렵고 몸속의 수분을 빼앗겨 죽을 수도 있다.
- 개구리는 물속에 알을 낳고 어린 시절을 물속에서 생활한다.

### 개념 더하기

● 물에 사는 동물의 특징

① 납자루

- 아가미로 숨을 쉰다.
- 지느러미를 이용하여 헤엄친다.
- 몸이 유선형이며, 비늘로 덮여 있다.

② 수달

- 물속을 헤엄치며 물고기나 개구리 등을 잡아먹는다.
- 물갈퀴가 있는 다리로 헤엄친다.
- 몸의 표면이 털로 덮여 있다.

③ 상어

- 아가미로 숨을 쉰다.
- 지느러미를 이용하여 헤엄친다.
- 몸이 유선형이며 비늘로 덮여 있다.

④ 도요새

- 허파로 숨을 쉰다.
- 긴 부리로 갯벌에 있는 게나 갯지렁이를 잡아먹는다.
- 몸의 표면은 깃털로 덮여 있다.

### 용어 풀이

☑ 저항(막을 抵, 막을 抗)
어떤 힘에 버팀

☑ 압력(누를 壓, 힘 力)
누르는 힘

☑ 유선형(흐를 流, 줄 線, 모양 形)
물이나 공기의 저항을 작게 받는 구조로 앞부분은 곡선이고 뒤쪽으로 갈수록 뾰족한 모양

 정답

ⓒ 유선 ⓓ 물
ⓐ 지느러미 ⓑ 아가미

● 붕어와 물자라

▲ 붕어　　　▲ 물자라

● 물고기 옆줄

　구멍이 뚫린 비늘이 한줄로 늘어서 있는 것으로, 물속의 진동을 느껴 물의 흐름이나 다른 동물이 일으킨 물의 움직임을 느낀다.

● 하늘을 나는 동물의 특징

① 황조롱이
• 날개가 있고 몸이 깃털로 덮여 있다.
• 속이 빈 뼈를 가지고 있어 몸이 가볍다.
• 몸의 균형이 잘 맞는다.

② 박쥐
• 앞발가락과 다리 사이에 얇은 막이 날개처럼 되어 있다.
• 날개에 비하여 몸이 작고 가볍다.
• 몸의 균형이 잘 맞는다.

③ 나비
• 피부가 변한 네 장의 넓은 날개가 있다.
• 몸이 가볍다.
• 몸의 균형이 잘 맞는다.

### 5. 물속에 사는 동물 관찰

| 붕어 | 물자라 |
|---|---|
| • 몸이 유선형이고 비늘로 덮여 있다.<br>• 여러 개의 지느러미가 있다.<br>• 몸 옆에는 옆줄이 있다.<br>• 입과 아가미를 계속 움직인다.<br>• 지느러미를 이용하여 헤엄쳐 이동한다. | • 몸이 머리, 가슴, 배로 구분된다.<br>• 몸이 위아래로 납작하고 윗면은 날개로 덮여 있다.<br>• 머리에는 뾰족한 입과 겹눈이 있고 더듬이가 잘 보이지 않는다.<br>• 다리가 세 쌍이고 털이 많이 나있다. |

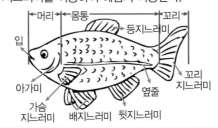

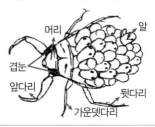

## 3 하늘을 나는 동물의 특징

### 1. 하늘을 나는 동물

| 날개가 있는 동물 | 몸의 일부가 날개처럼 되어 있는 동물 |
|---|---|
| 까치, 황조롱이, 박새, 나비, 잠자리 등 | 하늘다람쥐, 날치, 박쥐 등 |

### 2. 새가 하늘을 날기에 알맞은 점

① ⓐ_____가 있으며, 날개를 움직일 수 있는 큰 가슴 근육이 있다.

② ⓑ_____로 덮여 있다.

③ 뼈 속이 비어 있어, 크기에 비하여 몸이 ⓒ_____다.

④ 몸이 ⓓ_____형으로 되어 있다.

### 3. 새와 하늘다람쥐의 공통점과 차이점

| 구분 | 새 | 하늘다람쥐 |
|---|---|---|
| 공통점 | 날 수 있다. | |
| 차이점 | • 날개가 있다.<br>• 크기에 비하여 몸이 가볍다.<br>• 깃털로 덮여 있다.<br>• 부리가 있다.<br>• 꼬리가 없다.<br>• 하늘을 날 수 있다. | • 날개막이 있다.<br>• 크기에 비하여 몸이 무겁다.<br>• 털로 덮여 있다.<br>• 이빨이 있다.<br>• 긴 꼬리가 있다.<br>• 짧은 거리를 날 수 있다. |

## 4 특이한 환경에 사는 동물의 특징

| 동물 | 살고 있는 환경 | 환경에 적응한 모습 |
|---|---|---|
| 낙타 | • 물과 먹이가 부족함<br>• 모래가 많으며 모래바람이 붐<br>• 건조하고, 낮과 밤의 기온 차이가 큰 사막 | • 귀와 눈 주위의 긴 털은 모래 먼지를 막아 준다.<br>• 등에 있는 혹은 물과 먹이가 부족할 때 에너지로 사용된다.<br>• 발바닥이 ⓐ____어 모래에 빠지지 않는다. |
| 황제펭귄 | • 온도가 낮고 눈으로 덮여 있는 남극<br>• 먹이가 부족하고, 밤이 계속되기도 하고 낮이 계속되기도 함 | • 두꺼운 지방층과 보온이 잘되는 깃털을 가지고 있으며 서로 무리를 지어 추위를 견딘다.<br>• 눈 덮인 땅 위에는 먹이가 없어 물속 먹이를 잡기 위하여 헤엄을 잘친다. |
| 등줄굴노래기 | • 햇빛이 들지 않은 동굴 속<br>• 온도 변화가 거의 없고 축축함 | • 시각보다 ⓑ_____이 발달되어 있다.<br>• 빛이 없어 눈의 기능이 약해져 있으며, 몸이 투명하다. |
| 바이퍼피시 | • 햇빛이 들지 않은 깊은 바닷속<br>• 압력이 높고 먹이가 부족함 | • 빛이 없는 어두운 곳에서 먹이를 유인하거나 짝을 찾기 위하여 빛을 낸다. |

## 5 동물의 특징을 모방하여 생활 속에서 활용하는 예

| 칫솔걸이 | • 문어는 다리의 ⓒ_____을 이용하여 어디에나 잘 달라붙는다.<br>• 어디에나 잘 달라붙을 수 있도록 뒷면에 빨판과 같은 흡착판을 붙인다. |
|---|---|
| 집게차 | • 독수리의 발가락은 ⓓ____으로 오그라져 있어 물체를 움켜 잡기 편하다.<br>• 트럭 뒤쪽에 집게를 달아 물체를 쉽게 잡아 들어올린다. |
| 설피 | • 낙타는 발바닥이 넓어 모래에 빠지지 않는다.<br>• 모래밭이나 눈밭에서 발이 빠지지 않도록 발바닥의 넓이를 넓혀준다. |
| 수영용품<br>물갈퀴 | • 오리는 발가락 사이의 ⓔ_____가 있어 헤엄치기 쉽다.<br>• 손가락이나 발에 물갈퀴를 끼면 적은 힘으로 더 멀리 효과적으로 수영한다. |
| 로봇<br>애벌레 | • 애벌레는 유연하고 꿈틀거리며 이동한다.<br>• 붕괴된 건물이나 잔해 속에 파고 들어가 구조 작업을 한다. |

▲ 문어빨판　　▲ 칫솔걸이　　▲ 수리발　　▲ 집게차　　▲ 낙타발　　▲ 설피

---

### 개념 더하기

● **특이한 환경에 적응한 동물**

▲ 낙타　　　▲ 황제펭귄

▲ 등줄굴노래기　　▲ 바이퍼피시

● **특이한 환경에 사는 생물에 대한 오해**

먹이가 부족하고 건조하며 추운 특이한 환경에 사는 생물은 살아가기가 매우 힘들 것이라고 생각하기 쉽다. 그러나 그곳 환경에 오랫동안 적응하고 진화하며 살아가고 있는 생물은 현재 살고 있는 환경이 가장 편안하고 살기에 좋은 환경일 것이다.

● **동물의 특징을 모방한 예**

▲ 오리발　　　▲ 수영용품

▲ 애벌레　　　▲ 로봇 애벌레

정답

ⓐ 넓　ⓑ 촉각　ⓒ 빨판
ⓓ 안쪽　ⓔ 물갈퀴

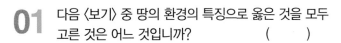

**01** 다음 〈보기〉 중 땅의 환경의 특징으로 옳은 것을 모두 고른 것은 어느 것입니까? ( )

보기

㉠ 흙, 풀, 나무가 있다.
㉡ 물속에 비하여 온도 변화가 작다.
㉢ 깊은 곳으로 가면 압력이 높아지고 빛이 적게 들어온다.

① ㉠
② ㉡
③ ㉠, ㉢
④ ㉡, ㉢
⑤ ㉠, ㉡, ㉢

**02** 다음 중 땅에 사는 동물의 특징으로 옳은 것은 어느 것입니까? ( )

① 모두 알을 낳는다.
② 땅속에서는 살지 않는다.
③ 모두 식물을 먹이로 한다.
④ 공기 중에서 숨을 쉴 수 있다.
⑤ 몸이 유선형으로 아가미를 가지고 있다.

**03** 다음 중 공벌레를 도구로 관찰한 결과로 옳은 것은 어느 것입니까? ( )

① 다리를 빠르게 움직인다.
② 전체적으로 회색 또는 갈색이다.
③ 건드리면 몸을 공처럼 둥글게 만든다.
④ 더듬이가 여러 개의 마디로 되어 있다.
⑤ 머리, 가슴, 배의 구분이 잘 되지 않는다.

**04** 다음 중 바다의 갯벌에 사는 동물로 옳은 것은 어느 것입니까? ( )

①
▲ 전복

②
▲ 오징어

③
▲ 수달

④
▲ 납자루

⑤
▲ 조개

**05** 다음 〈보기〉 중 왜가리, 수달, 개구리가 물가를 찾는 이유로 옳은 것을 모두 고른 것은 어느 것입니까? ( )

보기

㉠ 물을 구하기 쉽다.
㉡ 천적이 살지 않는다.
㉢ 원하는 먹이를 쉽게 잡을 수 있다.

① ㉢
② ㉠, ㉡
③ ㉠, ㉢
④ ㉡, ㉢
⑤ ㉠, ㉡, ㉢

**06** 다음 중 붕어를 관찰한 내용으로 옳지 <u>않은</u> 것은 어느 것입니까? ( )

① 몸 옆에는 옆줄이 있다.
② 입과 아가미를 계속 움직인다.
③ 몸이 머리, 가슴, 배로 구분된다.
④ 몸이 유선형이고 비늘로 덮여 있다.
⑤ 여러 개의 지느러미를 이용하여 이동한다.

**07** 다음 〈보기〉 중 새가 하늘을 날기에 알맞은 점으로 옳은 것을 모두 고른 것은 어느 것입니까? ( )

> 보기
> ㉠ 피부가 변한 넓은 날개가 있다.
> ㉡ 속이 빈 뼈를 가지고 있어 몸이 가볍다.
> ㉢ 날개를 움직일 수 있는 큰 가슴 근육을 가지고 있다.

① ㉢　　　　　　② ㉠, ㉡
③ ㉠, ㉢　　　　　④ ㉡, ㉢
⑤ ㉠, ㉡, ㉢

**08** 다음 중 새와 하늘다람쥐의 공통점으로 옳은 것은 어느 것입니까? ( )

① 날 수 있다.
② 날개가 있다.
③ 이빨이 있다.
④ 꼬리가 있다.
⑤ 크기에 비하여 몸이 가볍다.

**09** 다음 중 특이한 환경에 사는 동물들이 환경에 적응한 모습으로 옳지 <u>않은</u> 것은 어느 것입니까? ( )

▲ 낙타　　▲ 황제펭귄　▲ 등줄굴노래기　▲ 바이퍼피시

① 낙타는 발이 넓기 때문에 걸을 때 모래에 빠지지 않는다.
② 낙타는 등에 혹이 있기 때문에 땅바닥의 뜨거운 열기를 피할 수 있다.
③ 황제펭귄은 두꺼운 지방층을 가지고 있기 때문에 추위를 견딜 수 있다.
④ 등줄굴노래기는 어두운 곳에서 살아서 시각보다 촉각이 발달되어 있다.
⑤ 바이퍼피시는 어두운 곳에서 빛을 내어 먹이를 유인하거나 짝을 찾는다.

**10** 다음 중 동물의 특징을 모방하여 생활 속에서 활용하는 예로 옳은 것을 <u>모두</u> 고르시오. ( , )

① 칫솔걸이는 문어 빨판을 모방하여 만든 것으로 어디에나 잘 달라붙는다.
② 집게차는 수리발을 모방하여 만든 것으로 물체를 쉽게 잡아 들어올린다.
③ 설피는 오리발을 모방한 것으로 물에서 헤엄치기 쉽다.
④ 물갈퀴는 애벌레를 모방한 것으로 좁은 틈을 이동하기 쉽다.
⑤ 로봇 애벌레는 낙타 발을 모방하여 만든 것으로 붕괴된 건물에 들어가 구조 작업을 한다.

#  서술형으로 다지기

**01**

몸 위에 딱딱한 껍데기를 가지고 있는 달팽이는 피부로 호흡하기 때문에 몸에서 점액이 나와 끈적끈적합니다. 달팽이의 점액은 날씨에 따라 분비되는 양이 달라집니다. 점액이 가장 많이 분비되는 날씨를 쓰고, 그렇게 생각한 이유를 적어보세요.

🔍 손에 잡히는 문제 해결

달팽이 점액의 역할은 무엇인가요?

▼

물이 잘 증발하는 날씨는
어떤 날씨인가요?

▼

달팽이 몸의 수분이 잘 없어지는
날씨는 어떤 날씨인가요?

---

**02**

추운 남극에서 살아가는 황제펭귄은 차가운 바람과 추위를 견디기 위해 독특한 몸 구조를 가지고 있습니다. 황제펭귄이 우리 주변에서 볼 수 있는 새들과 다른 신체적인 특징을 <u>세 가지</u> 적어보세요.

🔍 손에 잡히는 문제 해결

황제펭귄의 모습을 생각해 봅니다.

▼

우리가 흔히 볼 수 있는 새들의
신체적인 특징을 생각해 봅니다.

▼

황제펭귄이 보통 새들과
다른 특징은 무엇인가요?

**03** 비행기 몸체는 새의 몸통 모양을 참고하여 만들었기 때문에 그 모습이 매우 비슷합니다. 비행기의 몸체를 새의 몸통 모양으로 만들었을 때 좋은 점을 적어보세요.

**손에 잡히는 문제 해결**

새의 몸통 모양을 생각해 봅니다.

▼

비행기 몸체와 새의 몸통의 공통점은 무엇인가요?

▼

비행기가 공기의 저항을 덜 받으면 좋은 점은 무엇인가요?

**04** 같은 여우인데도 북극에 사는 여우와 사막에 사는 여우의 생김새는 차이가 납니다. 북극에 사는 여우는 털이 흰색이고, 귀가 작지만 사막에 사는 여우는 털이 누런색이고 귀가 큽니다. 털색과 귀의 크기가 달라서 좋은 점을 각각 적어보세요.

▲ 북극 여우

▲ 사막 여우

여우

**손에 잡히는 문제 해결**

북극 여우와 사막 여우의 생김새를 비교해 봅니다.

▼

북극의 환경에서 북극 여우의 털색과 귀의 크기는 어떤 점이 좋을까요?

▼

사막의 환경에서 사막 여우의 털색과 귀의 크기는 어떤 점이 좋을까요?

STEAM

☑ Science
  ▶ 해저 열수공, 심해생물

☐ Technology

☑ Engineering
  ▶ 심해 잠수정

☐ Art

☐ Mathmatics

# 지옥 같은 곳에서 사는 생물들

바다는 깊숙이 들어 갈수록 수온이 점점 낮아진다. 수온을 올려줄 햇빛이 닿지 않기 때문이다. 수심 1,000 m 이상 깊이 들어가면 수온이 5 ℃가 채 되지 않을 정도까지 낮아진다. 이런 차가운 심해에도 열을 받는 곳이 있다. 바로 '해저 열수공'이다. 뜨거운 물을 뿜어내는 이 구멍은 해저 지질활동으로 인해 땅속으로 들어간 바닷물이 다시 나오는 곳이다. 차가운 물과 뜨거운 물이 만나는 극한 환경이지만 이곳에서도 600여 종에 이르는 생명체가 살고 있다.

일본 해양개발연구기구는 2002년 무인 심해잠수정 '카이코호'를 이용해 인도양 심해 2,400 m 위치에서 새로운 종의 심해 새우를 발견했다. 리미카리스 카이레이(rimicaris kairei)는 몸길이가 6 cm인 새우이다.

심해에 살고 있는 또 다른 생물은 조개의 일종인 시로우리가이(학명 calyptogena soyoae)이다. 껍질이 11 cm에 달하는 이 큰 조개는 껍질의 절반을 해저 바닥에 묻은 채로 일생을 보낸다. 일반 조개들은 바닷물 속에 있는 플랑크톤을 먹고 살지만 이 조개는 살아가는 방법이 조금 다르다. 시로우리가이는 자신의 아가미에서 사는 공생 박테리아를 통해 살아가는 데 필요한 영양분을 얻는다. 시로우리가이는 주로 수심 750~1,200 m에서 많이 발견되는데, 2월에는 태평양 마리아나 해구 부근 수심 5,620 m 지점에서 발견되기도 했다.

▲ 리미카리스 카이레이

▲ 시로우리가이

심해 생물들

**1** 차가운 심해에서 뜨거운 물을 뿜어내는 구멍으로 지질활동으로 인해 땅속으로 들어간 바닷물이 다시 나오는 곳을 무엇이라고 하는가?

용어 풀이

☑ 플랑크톤
수중생물 중에서 운동 능력이 전혀 없거나 매우 약해 물과 함께 떠돌며 생활하는 생물의 총칭

☑ 공생
서로 영향을 주고 받으며 함께 사는 관계로, 양쪽이 모두 이익인 경우부터 양쪽이 모두 손해보는 경우도 있다.

**2** 해저 열수공에서 뿜어내는 뜨거운 물은 온도가 300 ℃에 이른다고 합니다. 온도가 이렇게 높은데도 수증기가 아닌 액체 상태의 물을 뿜어내는 이유를 적어보세요.

손에 잡히는 STEAM

해수 열수공의 환경을 생각해 봅니다.

↓

깊은 바다 속에서
압력을 생각해 봅니다.

↓

기체가 액체로 변하기 위한
조건은 무엇인가요?

논술형

**3** 심해는 태양빛이 전달되지 못해서 한치 앞도 분간할 수 없는 캄캄한 곳으로, 수천 미터 바다 속의 수온은 1~2 ℃ 정도로 어둡고 차가운 곳이며 수압이 상당히 높습 니다. 수압은 보통 10 m 당 1기압씩 증가하므로, 심해는 20기압에서 1,000기압이 넘는 곳으로 이루어져 있습니다. 이러한 열악한 환경에 사는 심해의 생물들은 어떤 특징을 갖고 있는지 추리하여 적어보세요.

손에 잡히는 STEAM

심해에도 생물이 살고 있을까요?

↓

태양빛이 도달하지 않는
어두운 곳에서 살기 적당한
생물의 모습은 무엇일까요?

↓

수압이 아주 높은 곳에서 살기
적당한 생물의 모습은 무엇일까요?

심해 생물

# 탐구력 키우기

# 금붕어 관찰

물속에는 작은 플랑크톤부터 큰 고래까지, 얕은 바다에서부터 수심 1만 1,000 m의 심해까지 다양한 동물이 살고 있습니다. 금붕어를 관찰하여 물속에 사는 동물의 특징을 알아보세요.

## 준비물

수조, 금붕어, 거울, 스포이트 또는 주사기, 색소물

## 탐구 과정

① 수조에 금붕어 한 마리를 넣는다.

② 금붕어의 겉모습의 특징과 움직임을 관찰한다.

③ 수조 아래에 거울을 놓고 수조를 5 cm 정도 들어 올린 후, 금붕어 배 부분을 관찰한다.

④ 스포이트 또는 주사기에 색소물을 넣는다.

⑤ 스포이트 또는 주사기를 금붕어 입 앞에 대고 한 방울 떨어뜨린다.

⑥ 색소물의 움직임을 관찰한다.

금붕어

거울

## 주의사항

• 수조 아래에 거울을 놓고 거울을 통해 관찰하면 금붕어 배 부분을 관찰하기 쉽다.

• 색소물은 물고기 입 바로 앞에서 한 방울만 떨어뜨려도 충분하다.

• 색소물 실험을 한 뒤 금붕어를 깨끗한 물로 옮겨준다.

**1** 금붕어가 움직일 때 지느러미의 움직임을 관찰하고 적어보세요.

① 앞으로 나아갈 때 :

② 한 곳에 머물러 있을 때 :

③ 오른쪽으로 회전할 때 :

④ 왼쪽으로 회전할 때 :

**2** 금붕어에게 색소물을 주었을 때 색소물의 움직임을 적어보세요.

**3** 금붕어, 배, 잠수함, 로켓, 고속열차, 자동차의 앞부분은 모양이 비슷합니다. 이런 모양의 장점을 적어보세요.

▲ 금붕어　　▲ 배　　　▲ 잠수함　　▲ 로켓　▲ 고속열차　　▲ 자동차

**STEAM**

**4** 물고기는 잠잘 때 헤엄을 치지 않고 한 곳에 멈추어 있으면서 아가미를 천천히 움직입니다. 그러나 상어는 잘 때조차도 헤엄을 칩니다. 만약 상어가 헤엄을 치지 않으면 떠내려가다가 바닥에 부딪쳐서 큰 상처를 입을 수 있습니다. 다른 물고기와 달리 상어가 죽기 전까지 쉬지 않고 헤엄을 쳐야 하는 이유를 적어보세요.

# Ⅱ 지표의 변화

이 단원의 주요 내용

흙 및 강과 바다의 지형에 대한 특징을 이해하고, 여러 장소의 흙을 관찰하여 비교해 본다. 바위나 돌이 부서져 흙이 되기까지의 과정을 알아보고, 흐르는 물과 바닷물에 의한 지형의 변화를 알아본다.

⭐ 2015 개정 교육과정 교과서

초등 3~4학년 군 :
3학년 2학기 2단원 지표의 변화

⭐ 다른 학년과의 연계

초등 3~4학년 군 : 지층과 화석,
화산과 지진, 지구의 모습
중학교 1~3학년 군 : 지권의 변화

풍화 작용에 의해 만들어지는

# 03 소중한 자원, 흙

## 개념 더하기

● 여러 곳의 흙의 비슷한 점과 다른 점

① 비슷한 점 : 크고 작은 알갱이가 있다.

② 다른 점
• 큰 알갱이와 작은 알갱이가 들어 있는 양이 다르다.
• 진흙이 많이 섞인 흙은 부드럽 지만, 모래가 많이 섞인 흙은 까끌까끌하다.
• 색깔이 다양하다.
• 낙엽이 있는 것도 있다.

● 물 빠짐 실험에서 같게 해야 할 조건과 다르게 해야 할 조건

① 같게 할 조건 : 물의 양, 흙의 양, 플라스틱 통의 크기, 물 붓는 빠르기, 거즈의 종류 등

② 다르게 할 조건 : 흙의 종류

### 정답

ⓒ 작다 ⓓ 잘 ⓔ 잘

ⓐ 부드러움 ⓑ 큼

## 1 여러 곳의 흙 비교하기

### 1. 여러 곳의 흙 비교하기

| 구분 | 모래가 많이 섞인 흙 | 진흙이 많이 섞인 흙 | 직접 모은 흙 |
|---|---|---|---|
| 모습 | | | |
| 색깔 | 갈색, 황토색 등 | 밝은 갈색, 붉은색 등 | 어두운 색 |
| 만져본 느낌 | 까끌까끌함 | 매우 ⓐ_____ | 까끌까끌하기도 하고 부드럽기도 함 |
| 알갱이의 종류 | 반짝이는 것이 있고, 대체로 굵은 알갱이가 많음 | 대체로 고운 알갱이가 많음 | 작은 돌, 고운 알갱이 등 다양함 |
| 알갱이의 크기 | 진흙 알갱이 보다 ⓑ_____ | 바람에 날릴 정도로 알갱이가 매우 ⓒ_____ | 다양함 |
| 기타 | 잘 뭉쳐지지 않음 | 잘 뭉쳐짐 | 잘 뭉쳐짐 |

### 2. 흙의 물 빠짐 비교하기

★탐구   흙의 물 빠짐 비교하기

#### 탐구 과정

① 플라스틱 통 밑을 거즈로 감싸고 고무줄로 묶는다.

② 세 가지 흙을 플라스틱 통에 각각 절반씩 채우고, 비커를 플라스틱 통 밑에 놓는다.

③ 같은 양의 물을 각각의 흙에 천천히 붓고, 물이 빠지는 시간을 측정한다.

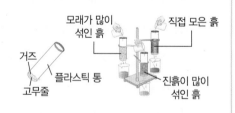

#### 탐구 결과 및 결론

① 물 빠짐 시간

| 구분 | 모래가 많이 섞인 흙 | 진흙이 많이 섞인 흙 | 직접 모은 흙 |
|---|---|---|---|
| 물 빠짐 시간 | 45초 | 7분 이상 | 5분 |

② 모래가 많이 섞여 있는 흙은 진흙이 많이 섞여 있는 흙보다 물 빠짐이 ⓓ___다.

③ 진흙이 많이 섞인 흙은 물을 많이 머금어 물 빠짐이 좋지 않다.

④ 흙의 알갱이가 클수록 물이 ⓔ___ 빠져나간다.

# 2 식물이 잘 자랄 수 있는 흙

## 1. 운동장 흙과 화단 흙 비교하기

| 운동장 흙 | 화단 흙 |
| --- | --- |
| • 모래가 많이 섞여 있다. <br> • 색깔이 밝고, 물 빠짐이 좋다. | • 진흙이 많이 섞여 있다. <br> • 색깔이 어둡고, 물 빠짐이 좋지 않다. |

## 2. 운동장 흙과 화단 흙 부유물 비교하기

### ★ 탐구　운동장 흙과 화단 흙 부유물 비교하기

#### 탐구 과정
① 같은 양의 화단 흙과 운동장 흙이 든 두 개의 비커에 같은 양의 물을 넣고 유리 막대로 저어준다.
② 저은 다음 그대로 놓아두고 변화를 관찰한다.
③ 물에 뜬 물질을 핀셋으로 건져서 거름종이에 올려놓고 돋보기로 관찰한다.

운동장 흙　　화단 흙

#### 탐구 결과 및 결론
① 운동장 흙과 화단 흙의 부유물 비교

| 운동장 흙 | 화단 흙 |
| --- | --- |
|  |  |

② 운동장 흙에는 물에 잘 뜨는 부유물이 없다.
③ 화단 흙에는 식물의 나뭇가지, 잔뿌리, 나뭇잎, 지렁이나 개미와 같은 곤충류 등과 같이 물에 잘 뜨는 부유물이 ⓐ＿＿＿다.
④ 화단 흙에는 생물과 관련된 ⓑ＿＿＿＿＿＿＿이 많지만, 운동장 흙에는 거의 없다.

## 3. 식물이 잘 자라는 흙의 특징
① 식물의 뿌리, 나뭇잎, 곤충과 같이 물에 잘 뜨는 부유물이 많다.
　▶ 생물과 관련된 부유물이 많아서 식물이 잘 자란다.
② 부유물이 썩으면 식물이 자라는 데 필요한 ⓒ＿＿＿＿＿이 된다.
③ 만졌을 때 부드럽고 색깔이 어두운 편이며 물 빠짐이 적당하다.

● 부유물 비교하기 실험에서 같게 해야 할 조건과 다르게 해야 할 조건
① 같게 할 조건 : 물의 양, 비커의 크기, 흙의 양 등
② 다르게 할 조건 : 흙의 종류

● 식물이 좋아하는 흙의 종류
　• 선인장 : 물기가 적은 모래 흙
　• 벼 : 물이 잘 빠지지 않는 고운 흙
　• 참외 : 물이 잘 빠지는 흙

### 용어 풀이

☑ 부유물(뜰 浮, 끼칠 遺, 만물 物)
물 위나 물속, 공기 중에 떠다니는 것

### 정답

ⓒ 양분　ⓑ 부유물　ⓐ 많

# 03 소중한 자원, 흙

## 개념 더하기

● 얼음 설탕을 가루 설탕으로 만드는 실험을 통해 알 수 있는 점

얼음 설탕이 서로 부딪쳐 가루 설탕이 되는 것처럼 바위나 돌이 서로 부딪치면 모래가 된다.

## 3 흙이 만들어지는 과정

### 1. 얼음 설탕을 가루 설탕으로 만들기

★ 탐구    얼음 설탕을 가루 설탕으로 만들기

**탐구 과정**
① 얼음 설탕을 플라스틱 통에 넣고 흔든 후 변화를 관찰한다.
② 얼음 설탕에 스포이트로 물을 여러 방울 떨어뜨리고 변화를 관찰한다.

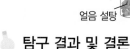
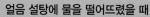

**탐구 결과 및 결론**
① 얼음 설탕을 흔들었을 때와 물을 떨어뜨렸을 때의 변화

| 얼음 설탕을 흔들었을 때 | 얼음 설탕에 물을 떨어뜨렸을 때 |
|---|---|
| 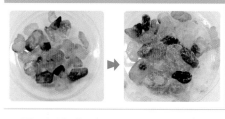 |  |

② 얼음 설탕을 흔들면 얼음 설탕이 부서져서 알갱이의 크기가 ⓐ_____지고, 가루 설탕이 된다.
③ 얼음 설탕에 물을 떨어뜨리면 얼음 설탕이 물에 ⓑ_____서 모양이 변한다.

### 2. 자갈을 플라스틱 통에 넣고 흔들기
① 자갈이 크기가 작아지고, 자그마한 돌조각, 흙과 같은 작은 알갱이들이 생긴다.
② 날카로웠던 자갈의 끝이 뭉뚝해지고, 모양이 둥그렇게 변한다.

▲ 흔들기 전    ▲ 흔들고 난 후

### 3. 얼음 설탕이 가루가 되는 것과 바위나 돌이 모래가 되는 것 비교하기
① **공통점** : 큰 덩어리가 서로 부딪치거나 부서져 ⓒ_____ 알갱이가 된다.
② **차이점** : 얼음 설탕이 가루 설탕이 되는 것은 짧은 시간 동안 일어나지만, 바위가 모래가 되는 것은 ⓓ_____ 시간이 걸린다.

🚩 정답

ⓐ 작아    ⓑ 녹아    ⓒ 작은
ⓓ 오랜

## 4. 풍화 작용 (심화)

① ⓐ_____ 작용

- 오랜 시간에 걸쳐 바위나 돌이 햇빛, 공기, 물 등에 의하여 제자리에서 점차 부서지는 것
- 바위나 돌이 물에 의해 조금씩 녹거나 색깔이 변하는 것

② 풍화 작용의 원인

- ⓑ____이 얼 때 : 바위틈에 있는 물이 얼었다 녹았다 하면서 바위를 부서뜨린다.
- 식물 : 나무 ⓒ_____에 의하여 바위가 부서진다.
- 흐르는 물 : 흐르는 물에 의해 돌끼리 부딪치면서 잘게 부서진다.
- 지하수 : 땅속에 있는 물이 바위나 돌을 녹인다.
- 햇빛, 빗물, 강물, 파도, 바람, 빙하 등

▲ 물이 얼때          ▲ 나무 뿌리          ▲ 흐르는 물

## 5. 흙의 생성 과정

① 흙은 ⓓ_____ 작용에 의해 만들어진다.

② 흙에는 자갈, 모래, 진흙 같은 성분과 함께 생물이 썩어서 생긴 물질도 있다.

③ 바위나 돌이 풍화 작용을 받아 흙이 되기까지는 ⓔ_____ 시간이 필요하다.

## 6. 흙이 중요한 까닭과 흙을 보존하는 방법

① 흙이 중요한 까닭

- 지구에 사는 생물의 보금자리이기 때문이다.
- 지구상의 생물이 살아가는 터전이기 때문이다.
- 흙이 만들어지기까지 오랜 시간이 걸리기 때문이다.

② 흙을 보존하는 방법

- 나무를 심고 가꾼다.
- 산에 가서 청소하는 습관을 기르며, 자신의 쓰레기는 다시 가지고 온다.
- 비닐봉지, 과자 봉지, 휴지, 껌 등을 땅에 함부로 버리지 않는다.
- 합성 세제나 화학 약품 등의 사용을 줄여 토양 오염을 막는다.
- 화학 비료 대신 음식물 쓰레기 등을 이용한 친환경 퇴비를 사용한다.

# 개념기르기

**01** 다음 중 여러 곳의 흙에 대한 설명으로 옳지 <u>않은</u> 것은 어느 것입니까? ( )

① 모래가 많이 섞인 흙은 잘 뭉쳐지지 않는다.
② 흙의 종류는 장소에 따라 다양하다.
③ 진흙이 많이 섞인 흙일수록 만졌을 때 매우 부드럽다.
④ 모래가 많이 섞인 흙이 진흙이 많이 섞인 흙보다 알갱이가 크다.
⑤ 진흙이 많이 섞인 흙은 대체로 굵은 알갱이가 많고 반짝이는 것도 있다.

**02** 다음 흙의 물 빠짐을 비교하는 실험에서 같게 해야 할 조건으로 옳지 <u>않은</u> 것은 어느 것입니까?( )

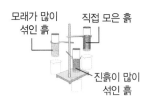

① 물의 양
② 흙의 양
③ 흙의 종류
④ 플라스틱 통의 크기
⑤ 물을 붓는 빠르기

**03** 위 **02**번의 실험 결과 같은 양의 물이 빠져 나오는데 걸린 시간이 다음 표와 같았습니다. 모래가 많이 섞인 흙과 진흙이 많이 섞인 흙을 순서대로 고른 것은 어느 것입니까? ( )

| 구분 | ㉠ | ㉡ | ㉢ |
|------|------|------|------|
| 물 빠짐 시간 | 45초 | 420초 | 300초 |

① ㉠, ㉡
② ㉠, ㉢
③ ㉡, ㉠
④ ㉡, ㉢
⑤ ㉢, ㉠

**04** 다음과 같이 운동장 흙과 화단 흙이 담긴 비커에 물을 넣고 유리 막대로 저은 다음 그대로 놓아둔 모습입니다. 이에 대한 설명으로 옳은 것은 어느 것입니까? ( )

(가)　　　　　(나)

① (가)는 화단 흙, (나)는 운동장 흙이다.
② (나)가 (가)보다 물에 뜬 물질이 많다.
③ (가)와 (나)에서 다르게 할 조건은 흙의 양이다.
④ (가)에서 나뭇가지, 잔뿌리, 나뭇잎 등을 볼 수 있다.
⑤ (나)에는 생물에 필요한 양분이 거의 들어 있지 않지만, (가)에는 많이 들어 있다.

**05** 다음 〈보기〉 중 식물이 잘 자라는 흙의 특징으로 옳은 것을 모두 고른 것은 어느 것입니까? ( )

> **보기**
> ㉠ 식물의 뿌리, 나뭇잎, 곤충과 같이 물에 잘 뜨는 부유물이 많다.
> ㉡ 만졌을 때 부드럽고 색깔이 어두운 편이다.
> ㉢ 물을 통과 시켰을 때 물 빠짐이 매우 좋다.

① ㉠
② ㉡
③ ㉠, ㉡
④ ㉠, ㉢
⑤ ㉡, ㉢

**06** 다음 (가)는 얼음 설탕을 통에 넣고 흔드는 모습이고, (나)는 얼음 설탕에 스포이트로 물을 떨어뜨리는 모습입니다. 이에 대한 설명으로 옳은 것을 〈보기〉에서 모두 고른 것은 어느 것입니까? (　　　)

얼음 설탕
(가)

물
(나)

> **보기**
> ㉠ (가)에서는 얼음 설탕이 부서져서 알갱이의 크기가 작아진다.
> ㉡ (나)에서는 얼음 설탕이 녹는다.
> ㉢ 얼음 설탕이 가루 설탕이 되는 것은 바위가 모래가 되는 시간과 같다.
> ㉣ (가)는 풍화 작용을 알아보기 위한 실험이고, (나)는 진화 작용을 알아보기 위한 실험이다.

① ㉠, ㉡
② ㉠, ㉢
③ ㉠, ㉣
④ ㉡, ㉢
⑤ ㉢, ㉣

**07** 다음 〈보기〉 중 자갈을 플라스틱 통에 넣고 흔들었을 때의 결과로 옳은 것을 모두 고른 것은 어느 것입니까? (　　　)

> **보기**
> ㉠ 자갈의 크기가 작아진다.
> ㉡ 자갈의 끝이 더욱 뾰족해진다.
> ㉢ 자그마한 돌조각이나 흙이 생긴다.

① ㉠
② ㉡
③ ㉠, ㉡
④ ㉠, ㉢
⑤ ㉡, ㉢

**08** 다음 중 풍화 작용을 설명한 예로 적절하지 <u>않은</u> 것은 어느 것입니까? (　　　)

① 물이 바위나 돌을 조금씩 녹인다.
② 파도에 의해 바위가 돌과 모래로 부서진다.
③ 바위틈에서 자란 나무 뿌리에 의해 바위가 부서진다.
④ 흐르는 물에 의해 돌이 서로 부딪치면서 잘게 부서진다.
⑤ 바위틈에 있던 물이 얼었다 녹았다를 반복하면서 바위를 단단하게 뭉치게 한다.

**09** 다음 중 풍화 작용의 원인과 가장 거리가 <u>먼</u> 것은 어느 것입니까? (　　　)

① 햇빛
② 바람
③ 빙하
④ 지하수
⑤ 천둥소리

**10** 다음 중 흙을 보존하는 방법으로 옳지 <u>않은</u> 것은 어느 것입니까? (　　　)

① 나무를 심고 가꾼다.
② 화학 비료를 사용한다.
③ 집에서 합성 세제의 사용을 줄인다.
④ 산에서 자신의 쓰레기는 다시 가지고 온다.
⑤ 비닐 봉지, 휴지 등을 함부로 버리지 않는다.

# 서술형으로 다지기

**손에 잡히는 문제 해결**

식물이 잘 자라는데 필요한 조건은 무엇인가요?

⬇

운동장 흙의 특징은 무엇인가요?

⬇

꽃이 말라 죽은 이유는 꽃 속의 무엇이 부족했기 때문인가요?

**01** 예은이는 운동장 흙을 퍼다가 화분에 담고 싱싱한 꽃을 옮겨 심었습니다. 꽃을 햇빛이 잘 비치는 곳에 두고 매일 일정한 시간에 적당한 양의 물을 주었는데 며칠이 지난 후 꽃이 말라 죽어버렸습니다. 꽃이 말라 죽은 이유를 추리하여 적어보세요.

**손에 잡히는 문제 해결**

운동장 흙과 화단 흙을 비교해 봅니다.

⬇

운동장 흙과 화단 흙에서 운동할 때 차이점은 무엇인가요?

⬇

비가 왔을 때 운동장 흙과 화단 흙의 차이점은 무엇인가요?

**02** 운동장을 만들 때는 화단 흙을 사용하지 않고 운동장 흙을 사용합니다. 운동장을 만들 때 화단 흙 대신 운동장 흙을 사용하면 좋은 점을 이유와 함께 적어보세요.

**03** 다음 그림과 같이 커다란 바위 주변에는 대부분 돌, 모래, 흙의 색깔이 바위와 비슷한 것을 관찰할 수 있습니다. 큰 바위 주변의 모래, 흙 색깔이 비슷한 이유를 추리하여 적어보세요.

🔍 손에 잡히는 문제 해결

풍화 작용의 정의를 생각해 봅니다.

▼

큰 바위는 시간이 지나면
어떻게 변하나요?

큰 바위 주변에 같은 색의 모래와
흙이 생기는 이유는 무엇인가요?

**04** 나무가 무성한 흙은 나무가 없는 흙에 비해 여러 가지로 식물이 자라는 데 유리한 점이 많습니다. 나무가 무성한 흙이 나무가 없는 흙에 비해 식물이 자라는데 유리한 점을 <u>두 가지</u> 적어보세요.

🔍 손에 잡히는 문제 해결

나무가 많은 곳과 없는 곳의
흙을 비교해 봅니다.

▼

두 흙의 땅에 햇빛이 비출 때
차이는 무엇인가요?

▼

비가 올 때 나무가 많은 흙과 없는
흙의 차이는 무엇인가요?

# 융합사고력 키우기

STEAM

☑ **Science**
▶ 풍화

☐ **Technology**

☐ **Engineering**

☑ **Art**
▶ 유적지

☐ **Mathmatics**

## 훼손되고 있는 캄보디아 앙코르 유적지

우리가 아끼고 보호해야 하는 문화유산에는 어떤 것이 있을까? 우리는 2008년에 화재로 숭례문을 잃었다. 중국은 만리장성이 절반가량 훼손되었고, 캄보디아의 대표 유적지인 앙코르와트 역시 몰려드는 관광객들 때문에 몸살을 앓고 있다고 한다.

앙코르와트는 수천 년 전에 지어진 사원으로, 세계에 남아있는 고대 종교 건축물 가운데 최고로 손꼽힌다. 그러나 앙코르와트는 밀림 속에 감춰진 채 오랜 시간 동안 자연 풍화되어 훼손되고 있으며, 전쟁과 약탈자들에 의해 전체 유적의 70 %가 복원 불가능한 상태로 파괴되었다.

캄보디아의 토양은 우기 때 내리는 많은 비에 의해 흙이 떠내려가고 무거운 철과 알루미늄 성분만 남게 되었다. 이 금속 성분은 오랫동안 풍화되어 구멍이 송송 뚫린 적갈색 토양(라테라이트)이 되었고, 캄보디아 토양의 주성분을 이룬다. 앙코르와트는 주로 사암과 라테라이트로 건설되었다. 단단하지 못한 사암은 오랫동안 비바람에 의해 쉽게 쪼개지고 부서져 사원은 점점 부식되었다.

또한, 앙코르 제국이 멸망하고 오랫동안 사람의 손길이 닿지 않자, 새의 배설물에 의해 옮겨진 스펑나무 씨앗이 앙코르 유적지인 타프롬 사원에 싹이 터 자라기 시작했다. 스펑나무 뿌리는 물기를 찾아서 사암으로 이루어진 타프롬 사원을 파고들어 자라기 시작했고, 오랜 시간이 지난 후 타프롬 사원은 스펑나무를 비롯한 여러 가지 나무로 덮여졌다.

앙코르와트

**1** 식물 뿌리가 성장하면서 주위 암석이 파괴되어 작게 부서지는 현상을 무엇이라고 하나요?

**용어 풀이**

☑ **사원(절 寺, 집 院)**
종교 활동을 행사하는 장소

☑ **훼손(헐 毁, 덜 損)**
헐거나 깨뜨려 못쓰게 만듦

☑ **우기(비 雨, 기약할 期)**
일년 중 비가 많이 오는 시기

**2** 앙코르 유적지가 훼손된 이유를 세 가지 적어보세요.

앙코르 유적지는 언제 만들어졌나요?

▼

앙코르 유적지는 무엇으로 만들어졌나요?

▼

앙코르 유적지의 현재 모습은 어떠한가요?

**3** 앙코르 유적지를 찾는 관광객의 수는 매년 증가하고 있습니다. 앙코르 유적지를 지키기 위한 방법을 두 가지 고안해보세요.

앙코르 유적지의 주위 환경은 어떠한가요?

▼

앙코르 유적지에 살고 있는 생물이 미치는 영향은 무엇인가요?

▼

많은 관광객이 앙코르 유적지에 미치는 영향은 무엇인가요?

흐르는 물과 파도에 의해

# 04 변화하는 땅

개념 더하기

## 1 운동장에 흐르는 빗물

### 1. 비 오는 날의 운동장의 변화

① 다양한 모양의 물길이 생긴다.

② 운동장 중간중간에 움푹 파인 작은 웅덩이가 생긴다.

③ 빗물에 모래가 깎여 나가 돌이 드러나기도 한다.

▲ 비 오는 날 운동장 모습

### 2. 빗물을 거름 장치로 걸러보기

★탐구  **빗물을 거름 장치로 걸러보기**

🍶 **탐구 과정**

① 비 오는 날 하늘에서 내리는 비와 운동장에 흐르는 빗물을 비커에 받는다.

② 거름 장치로 걸러 거름종이에 남아 있는 것을 관찰한다.

• 같게 할 조건 : 비커에 담는 빗물의 양, 거름종이의 종류, 빗물을 붓는 빠르기 등

• 다르게 할 조건 : 장소에 따른 빗물

운동장을 흐르는 빗물　하늘에서 내리는 비

거름 장치

운동장을 흐르는 빗물　하늘에서 내리는 비

🍶 **탐구 결과 및 결론**

① 하늘에서 내린 빗물과 운동장에 흐르는 빗물을 거름 장치로 걸렀을 때의 변화

| 하늘에서 내린 빗물 | 운동장에 흐르는 빗물 |
|---|---|
| 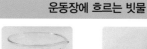 |  |

② 하늘에서 내린 빗물은 맑고, 거름종이에 걸러진 것이 거의 ⓐ＿＿＿＿다.

③ 운동장에 흐르는 빗물은 흙탕물이며, 거름종이에 진흙과 매우 작은 모래 알갱이가 남아 있다.

### 3. 운동장에 흐르는 빗물이 하는 역할

① 물길을 만든다.

② 빗물은 운동장을 흐르면서 운동장의 ⓑ＿＿을 깎아 다른 곳으로 옮겨 놓는다.

● **빗물을 비커에 담을 때 주의점**

• 하늘에서 내린 빗물 : 땅에 놓고 빗물을 모을 경우 어느 정도 높이가 있는 비커에 모아야 운동장의 흙이 빗물과 함께 튀어 비커 안으로 들어가는 것을 막을 수 있다.

• 운동장에 흐르는 빗물 : 빗물이 땅의 흙과 함께 채집되지 않게 해야 한다.

● **빗물을 거르는 방법**

• 깔때기 끝의 긴 쪽이 비커 벽에 닿게 한 다음 유리 막대를 따라 흘러내리도록 조금씩 붓는다.

• 빗물이 거름종이 위로 넘치지 않도록 한다.

정답

ⓐ 없 ⓑ 흙

## 2 흐르는 물에 의한 지표의 변화

### 1. 흙 언덕을 만들어 물 흘려 보내기

**★탐구   흙 언덕을 만들어 물 흘려 보내기**

#### 탐구 과정
① 쟁반 안에 흙 언덕을 만든 후, 위쪽에 색 모래를 뿌린다.
② 흙 언덕 위쪽에 물을 부으면서 색 모래가 이동하는 모습을 관찰한다.

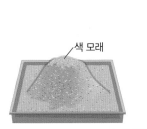
색 모래
▲ 물 붓기 전

▲ 물 붓고 난 후

#### 탐구 결과 및 결론
① 물을 붓기 전의 모습은 세모 모양으로 산과 비슷하다.
② 물을 부으면 흙 언덕의 윗부분은 물에 의해 무너져 내리고 ⓐ＿＿＿＿다.
③ 깎인 흙은 물길을 따라 ⓑ＿＿＿＿된다.
④ 아랫부분은 윗부분의 흙이 깎여 내려와 ⓒ＿＿＿＿다.
⑤ 흐르는 물은 흙 언덕의 모습을 바꾼다.

### 2. 지표의 변화
① **지표** : 땅의 겉면으로, 바위, 돌, 흙 등이 있다.
② 흐르는 물은 지표의 돌이나 흙을 함께 실어 날라 ⓓ＿＿＿＿의 모습을 변화시킨다.

▲ 과거 모습        ▲ 현재 모습

### 3. 흐르는 물의 작용
① ⓔ＿＿＿＿ 작용 : 지표의 바위, 돌, 흙 등이 깎여 나가는 것
② ⓕ＿＿＿＿ 작용 : 침식되어 깎인 것이나 잘게 부서진 알갱이들이 물의 흐름에 따라 다른
곳으로 이동해 가는 것
③ ⓖ＿＿＿＿ 작용 : 운반되어 간 알갱이들이 쌓이는 것

### 개념 더하기

● **흙 언덕 모습을 많이 변화시킬 수 있는 방법**
• 흙 언덕의 기울기를 급하게 한다.
• 물의 양을 많이 한다.
• 물을 세게 흘려 보낸다.
• 흙의 종류와 크기를 다르게 한다.

#### 용어 풀이

✓ **지표(땅 地, 겉 表)**
지구의 표면 또는 땅의 겉면

✓ **침식(담글 浸, 좀 먹을 蝕)**
비, 하천, 빙하, 바람 따위의 자연
현상이 지표를 깎는 일

✓ **퇴적(언덕 堆, 쌓을 積)**
침식되어 깎인 것이나 잘게 부
서진 알갱이들이 물의 흐름에
따라 다른 곳으로 운반된 뒤 쌓
이는 것

#### 정답

ⓐ 깎인     ⓑ 운반     ⓒ 쌓인
ⓓ 지표     ⓔ 침식     ⓕ 운반
ⓖ 퇴적

# 04 변화하는 땅

## 개념 더하기

### 3 강 주변의 특징 알아보기

#### 1. 강 주변의 모습과 특징

● 강 주변의 모습

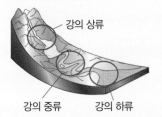

- 강의 상류
- 강의 중류
- 강의 하류

● 강에서 일어나는 작용

강의 상류, 중류, 하류 모두 침식 작용과 퇴적 작용이 일어난다. 하지만 강의 상류로 갈수록 침식 작용이 활발하게 일어나고, 하류로 갈수록 퇴적 작용이 활발하게 일어난다.

| 구분 | 강의 상류 | 강의 중류 | 강의 하류 |
|---|---|---|---|
| 모습 | • 물길이 좁고 폭이 ⓐ___고 경사가 급하다.<br>• 물의 양이 적다.<br>• 물의 흐름이 빠르다. | • 강폭이 넓고 경사가 급하지 않다.<br>• 상류보다 물의 양이 많다.<br>• 물의 흐름이 느리다.<br>• 강이 구불구불하다. | • 강폭이 더욱 넓고, 경사가 거의 없다.<br>• 물의 양이 매우 ⓑ___다.<br>• 물의 흐름이 매우 느리다.<br>• 넓게 펼쳐진 지형이다.<br>• 바닷물과 만난다. |
| 돌이나 흙의 모양 | • 커다란 바위나 모난 돌이 많이 보인다. | • 작고 둥근 자갈이 많다. | • 고운 흙이나 모래가 많다.<br>• 자갈은 둥글고 크기가 작다. |
| 작용 | ⓒ___ 작용이 활발하게 일어난다. | 침식과 퇴적 작용이 모두 일어난다. | ⓓ___ 작용이 활발하게 일어난다. |

### ★더 알아보기 구불구불한 하천(곡류)

- 직선 모양의 하천은 부분적으로 침식과 퇴적 작용이 일어나서, 하천의 폭이 넓어지고 굽은 하천으로 변하기도 한다.
- 굽어진 강의 바깥쪽은 침식이 계속 일어나 점점 더 깎이고, 안쪽은 흙이 쌓여 점점 구불구불한 강이 된다. 굽어진 강의 바깥쪽은 침식 작용이 활발하므로 깊이가 깊고, 안쪽은 퇴적 작용이 활발하므로 깊이가 얕다.

침식
우각호
퇴적

▲ 굽어진 강의 모습 변화

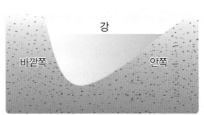

강
바깥쪽
안쪽

▲ 굽어진 강의 바깥쪽과 안쪽의 모습

정답

ⓐ 얕 ⓑ 많 ⓒ 침식 ⓓ 퇴적

# 4 파도가 치는 바닷가 주변의 지형

## 1. 파도가 치는 바닷가에서 볼 수 있는 지형

| 구분 | 바닷가의 돌출된 부분 | | 바닷가의 안쪽 부분 | |
|---|---|---|---|---|
| 지형 | ▲ 해식 절벽 | ▲ 해식 동굴 | ▲ 모래 사장 | ▲ 갯벌 |
| 특징 | • 파도가 세게 친다.<br>• 가파른 절벽이나 동굴을 볼 수 있다.<br>• 파도로 인하여 육지가 깎여 나간다. | | • 파도가 세지 않고 물살이 느리다.<br>• 모래 사장이나 갯벌과 같은 넓은 땅이 펼쳐진다.<br>• 고운 흙이나 모래가 많이 쌓인다. | |
| 작용 | ⓐ_____ 작용이 활발하게 일어난다. | | ⓑ_____ 작용이 활발하게 일어난다. | |

### ★더 알아보기  파도에 의한 지형 변화

• 수조 안쪽 벽에 모래로 해안 지형을 만들고 수조 벽을 따라 물을 흐르게 하여 채운 후 물결을 일으키면, 모래가 깎여 물에 잠긴다.

## 2. 우리나라 주변의 지형

우리나라는 국토의 삼면이 바다로 이루어져 바닷물의 침식 작용과 퇴적 작용으로 만들어진 다양한 모습을 볼 수 있다.

### ★생활 속 과학  기이한 모양의 지형

우리나라에는 촛대 바위, 촛불 바위, 외돌개 바위, 코뿔소 바위, 형제 바위와 같이 기이한 모양의 지형이 많다. 이들 지형은 처음에는 하나의 땅이였으나 파도로 인하여 침식되어 깎여 나가 섬처럼 보인다.

▲ 강원도 동해 추암 촛대 바위

▲ 강원도 동해 추암 형제 바위

▲ 경남 하동 코뿔소 바위

▲ 제주 외돌개 바위

## 개념 더하기

● **해안가의 흙**

해안가의 모든 흙이 강의 상류에서 하류로 내려와서 쌓인 것은 아니다. 강에서 내려온 흙도 있지만, 바닷가 주변의 침식으로 인해 쌓이기도 한다.

### 용어 풀이

☑ **돌출(갑자기 突, 날 出)**
물체가 갑자기 바깥쪽으로 쑥 나옴

**정답**

ⓐ 침식  ⓑ 퇴적

# 개념기르기

**01** 다음 중 비가 오기 전과 후의 운동장의 모습에 대한 설명으로 옳은 것은 어느 것입니까? ( )

① 비가 온 후 운동장에 물길이 생긴다.
② 비가 온 후 운동장의 크기가 넓어진다.
③ 비가 오기 전에는 운동장의 흙이 파여 있다.
④ 비가 오기 전과 후의 운동장의 모습은 거의 비슷하다.
⑤ 비가 오기 전에 움푹 파여 있던 웅덩이가 비가 온 후에는 사라진다.

**02** 다음은 하늘에서 내리는 비와 운동장에 흐르는 빗물을 비커에 받아 거름 장치로 거르는 모습입니다. 이에 대한 설명으로 옳은 것을 〈보기〉에서 모두 고른 것은 어느 것입니까? ( )

운동장에
흐르는 빗물

하늘에서
내리는 비

─── 보기 ───
㉠ 운동장에 흐르는 빗물을 거른 거름종이에는 진흙과 매우 작은 모래 알갱이가 남아 있다.
㉡ 하늘에서 내리는 비와 운동장에 흐르는 빗물의 양을 서로 같게 하여 거름 장치로 거른다.
㉢ 하늘에서 내리는 빗물을 모을 때 넓이가 넓은 접시를 땅에 놓고 모으는 것이 좋다.

① ㉠          ② ㉠, ㉡
③ ㉠, ㉢       ④ ㉡, ㉢
⑤ ㉠, ㉡, ㉢

**03** 다음은 쟁반에 흙 언덕을 만든 후, 위쪽에 색 모래를 뿌리고 흙 언덕 위쪽에 물을 부으면서 색 모래가 이동하는 모습을 관찰하는 모습입니다. 이에 대한 설명으로 옳지 <u>않은</u> 것은 어느 것입니까? ( )

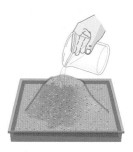

① 흙 언덕의 높이는 물을 흘릴수록 점점 높아진다.
② 아랫부분의 흙은 윗부분의 흙이 깎여 내려와 쌓인다.
③ 흐르는 물에 의한 지표의 변화를 알아보기 위한 실험이다.
④ 물을 부으면 흙 언덕의 윗부분은 물에 의해 무너져 내리고 깎인다.
⑤ 색 모래를 뿌리는 것은 흙이 이동하는 모습을 알아보기 쉽게 하기 위해서이다.

**04** 다음 〈보기〉 중 흙 언덕을 만들어 물을 흘려 보낼 때 흙 언덕을 많이 변화시킬 수 있는 방법을 모두 고른 것은 어느 것입니까? ( )

─── 보기 ───
㉠ 흙 언덕의 기울기를 급하게 한다.
㉡ 흙 언덕의 기울기를 완만하게 한다.
㉢ 한꺼번에 많은 양의 물을 흐르게 한다.

① ㉠          ② ㉠, ㉡
③ ㉠, ㉢       ④ ㉡, ㉢
⑤ ㉠, ㉡, ㉢

**05** 다음과 같이 과거와 현재의 물길이 달라진 이유로 옳은 것은 어느 것입니까? (      )

과거 모습          현재 모습

① 1년마다 계절이 바뀌기 때문이다.
② 강의 하류에 위치해 있기 때문이다.
③ 나무의 뿌리가 물길을 바꿨기 때문이다.
④ 사람들이 물을 많이 사용하였기 때문이다.
⑤ 흐르는 물이 흙과 돌을 옮기거나 깎아 놓았기 때문이다.

[06~07] 다음은 강 주변의 모습을 나타낸 것입니다. 물음에 답하시오.

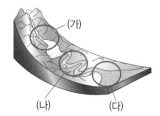

**06** 위의 (가)와 (다)에 대한 설명으로 옳은 것은 어느 것입니까? (      )

① (가)는 물의 양이 가장 많다.
② (가)는 강폭이 넓고, 경사가 급하다.
③ (다)는 물의 흐름이 가장 빠르다.
④ (다)에서는 커다란 바위와 모난 돌을 많이 볼 수 있다.
⑤ (가)와 (다)에서는 침식 작용과 퇴적 작용이 모두 일어난다.

**07** (나)에 대한 설명으로 옳은 것은 어느 것입니까? (      )

① (가)보다 물의 양이 적다.
② 침식 작용만 활발하게 일어난다.
③ (가)보다 강폭이 넓고 경사가 급하지 않다.
④ (다)보다 작고 둥근 자갈을 많이 볼 수 있다.
⑤ (가), (나), (다) 중 물의 흐름이 가장 느리다.

**08** 다음과 같이 바닷가에 동굴이 생기는 이유로 옳은 것은 어느 것입니까? (      )

① 모래가 퇴적되었기 때문이다.
② 파도에 의해 깎여 나갔기 때문이다.
③ 큰 비에 의해 깎여 구멍이 뚫린 것이다.
④ 물이 얼어있다가 녹으면서 구멍이 생겼다.
⑤ 식물의 뿌리가 암석에 구멍을 내었기 때문이다.

**09** 다음과 같이 바닷가에서 볼 수 있는 지형에 대한 설명으로 옳은 것을 모두 고르시오. (   ,   )

① 물살이 매우 빠르다.
② 파도가 세게 치는 곳이다.
③ 육지가 깎여 나가는 곳이다.
④ 고운 흙이나 모래가 많이 쌓인다.
⑤ 퇴적 작용이 활발하게 일어나는 곳이다.

# 서술형으로 다지기

🔍 손에 잡히는 문제 해결

곡류의 안쪽과 바깥쪽에서의
물의 빠르기는 어떤 차이가 있나요?

▼

배가 강을 쉽게 거슬러 올라가려면
물의 빠르기가 어떠 해야 하나요?

▼

곡류에서 배가 강을 쉽게 거슬러
올라가려면 어떤 길로 가야 할까요?

**01** 다음과 같이 강물이 구불구불하게 흐르는 지형을 곡류라고 합니다. 배를 타고 왼쪽에서 오른쪽으로 곡류를 거슬러 올라가야 할 때 A와 B, C와 D 중 어느 곳을 지나야 곡류를 쉽게 거슬러 올라갈 수 있을지 이유와 함께 적어보세요.

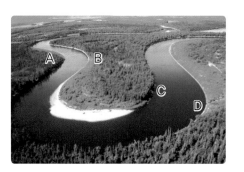

🔍 손에 잡히는 문제 해결

돌출된 곶과 안쪽 부분인 만에서의
파도의 세기는 어떠한가요?

▼

곶과 만에서는 파도는
각각 어떤 작용을 하나요?

▼

오랜 시간이 지나면 곶과 만의
지형은 어떻게 변할까요?

**02** 해안선이 바다로 돌출된 부분을 곶, 해안선의 안쪽 부분을 만이라고 합니다. 해안선의 곶과 만에서 일어나는 파도의 작용을 바탕으로 오랜 시간이 지났을 때 해안선의 모양이 어떻게 변할지 적어보세요.

**03** 나무가 많은 산은 나무가 없는 산에 비해 큰 비가 내려도 흙이 잘 쓸려 내려가지 않습니다. 따라서 나무가 없는 산은 많은 비가 내리면 산사태가 잘 일어나지만, 나무가 많은 산은 산사태가 잘 일어나지 않습니다. 나무가 많은 산은 큰 비가 내려도 흙이 잘 쓸려 내려가지 않는 이유를 적어보세요.

🔍 손에 잡히는 문제 해결

산사태는 무엇인가요?

▼

나무가 있는 산과 없는 산 중 흙이 더 많이 깎이는 산은 어떤 산인가요?

▼

나무가 흙을 덜 깎이게 하는 이유는 무엇일까요?

**04** 다음은 석회암 지대에서 만들어지는 석회동굴의 모습입니다. 석회동굴의 천장에서는 고드름처럼 생긴 종유석을 볼 수 있고, 바닥에서는 죽순 모양의 석순을 볼 수 있습니다. 종유석과 석순이 서로 만나면 기둥 모양인 석주가 되기도 합니다. 석회동굴과 종유석, 석순, 석주가 어떻게 만들어지는지 추리하여 적어보세요.

석회동굴

🔍 손에 잡히는 문제 해결

어떤 지형을 동굴이라고 하나요?

▼

땅속에서 동굴이 만들어지려면 어떤 작용이 일어나야 할까요?

▼

녹았던 물질이 다시 나타나려면 어떤 작용이 일어나야 할까요?

# 융합사고력 키우기

STEAM

- ✓ **Science**
  ▶ 지층, 물의 작용
- **Technology**
- **Engineering**
- ✓ **Art**
  ▶ 암각화
- **Mathmatics**

## 울산 반구대에서 만날 수 있는 선사시대의 기록

경상남도 울산의 태화강을 따라 상류로 올라가면 대곡천 부근에 마치 거북 한마리가 넙죽 엎드린 형상을 하고 있는 반구대를 볼 수 있다. 이 반구대에는 돌에 새겨진 선사시대의 기록을 만날 수 있다.

반구대에는 폭 약 10 m, 높이 3 m인 반반하고 매끈거리는 병풍 같은 바위면에 고래, 개, 늑대, 호랑이, 사슴, 멧돼지, 곰, 토끼, 여우, 거북, 물고기, 사람 등의 형상과 고래잡이 모습, 배와 어부의 모습, 사냥하는 광경 등이 새겨져 있다. 이처럼 문자가 없던 시절 바위에 새겨진 그림을 암각화라고 한다. 이곳에 표현된 동물들은 주로 사냥 대상 동물이고, 이 동물 가운데에는 짝짓기하는 모습과 배가 불룩하여 새끼를 가진 것으로 보이는 동물의 모습도 보인다. 이로 인해 이 암각화는 당시 사람들이, 동물들이 많이 번식하고 그로 인해 사냥거리가 많게 되기를 기원하면서 만든 것임을 알 수 있다.

대곡천 일대에 댐이 만들어진 이후 반구대의 암각화는 평상시에는 수면 밑에 있다가 물이 마르면 볼 수 있다. 암각화는 일년 중 6개월 이상 물속에 잠겨 있어 훼손되고 있는 상태이다. 따라서 암각화가 물에 잠기는 것을 막기 위해 투명 물막이 시설(카이네틱댐)을 건설하려고 계획 중이지만, 보다 구체적인 계획이 필요하여 검증 중이다.

반구대 암각화

## 용어 풀이

✓ **암각화(바위 巖, 새길 刻, 그림 畵)**
바위에 새겨진 그림

✓ **선사(먼저 先, 역사 史)시대**
문헌 자료가 전혀 존재하지 않는 시대로, 구석기, 신석기, 청동기 시대를 이른다.

**1** 자연 속에 노출된 바위나 동굴 벽에 여러 가지 동물상이나 기하학적 상징 문양을 그리거나 새겨 놓은 그림을 무엇이라고 하나요?

**2** 1965년 대곡천 하류에 지어진 사연댐에 의해 암각화의 그림이 점점 훼손되고 있다. 댐이 암각화를 훼손시키는 이유를 적어보세요.

침수된 암각화 윗부분

손에 잡히는 STEAM

댐의 역할은 무엇인가요?

▽

암각화는 어디에 그려져 있나요?

▽

물체가 오랜 기간 물에 잠기거나 젖어 있으면 어떻게 될까요?

•

•

논술형

**3** 암각화가 훼손되는 것을 막을 수 있는 방법을 두 가지 고안해보세요.

•

•

손에 잡히는 STEAM

암각화가 훼손되는 이유는 무엇인가요?

▽

암각화를 훼손시킨 원인을 없앨 수 있는 방법은 무엇인가요?

▽

자연을 훼손시키지 않으면서 암각화를 보존할 수 있는 방법은 무엇인가요?

암각화 보존

# 탐구력 키우기

# 암석의 풍화 작용

산을 오르다보면 바위 절벽에 나무나 풀이 자라고 있는 것을 볼 수 있다. 식물은 어떻게 깎아지른 듯한 바위 절벽에 뿌리를 내렸을까? 식물은 풍화 작용에 의해 암석이 약해져 갈라진 틈을 이용하여 뿌리를 내린다. 실험을 통해 풍화 작용을 일으키는 원인을 알아보자.

## 준비물

초코볼 10개, 유리병, 접시, 뜨거운 물, 석고 가루, 나무젓가락, 종이컵, 콩

## 탐구 과정

실험 1 ① 유리병에 초코볼을 5개 정도 넣고 뚜껑을 닫은 후, 1분 동안 세게 흔들고 초코볼의 변화를 관찰한다.

② 초코볼 5개를 뜨거운 물에 넣고 변화를 관찰한다.

실험 2 ① 종이컵에 석고 가루와 물을 붓고 나무젓가락으로 떠먹는 요구르트 정도 묽기가 되도록 반죽한다.

② 접시에 석고 반죽을 붓고 나무젓가락으로 석고 반죽을 편평하게 편다.

③ 석고 반죽 위에 콩을 십자가 모양으로 5개 정도 올린다.

④ 콩이 석고 반죽에 절반쯤 묻히도록 나무젓가락으로 콩을 살짝 누른다.

⑤ 석고 반죽이 단단하게 굳을 때까지 기다린다.

⑥ 석고 반죽 위에 높이 0.2 cm 정도로 물을 조금 붓고 30분 뒤 변화를 관찰한다.

초코볼 / 뜨거운 물 / 초코볼 / 석고 / 석고 반죽 / 콩 / 물

## 주의사항

• 초코볼을 뜨거운 물에 넣으면 찬물에 넣었을 때보다 반응이 빨리 나타난다.

• 실험 2 의 ① 과정에서 반죽이 너무 질지 않도록 물을 조금씩 넣으면서 반죽한다.

**1** 실험 1 의 과정 ①과 ②의 결과를 원인과 함께 적어보세요.

• 과정 ① :


• 과정 ② :


**2** 실험 2 에서 단단하게 굳은 석고 반죽 위에 물을 붓고 일정 시간이 지났을 때 나타나는 변화를 이유와 함께 적어보세요.

_____

_____

_____

**3** 풍화 작용을 일으키는 원인을 <u>세 가지</u> 적어보세요.

①

②

③


STEAM
**4** 사막은 다른 지역과 달리 큰 바위 대신 모래가 가득합니다. 사막에 모래가 많은 이유를 적어보세요.

_____

_____

_____

# Ⅲ 물질의 상태

이 단원의 주요 내용

물질의 기본적 상태인 고체, 액체, 기체의 특징을 배우고, 여러 가지 물질을 상태에 따라 분류해 본다. 기체는 공간을 차지하고 다른 용기에 옮길 수 있음을 알고, 무게가 있음을 안다.

★ 2015 개정 교육과정 교과서

    초등 3~4학년 군 :

        3학년 2학기 3단원 물질의 상태

★ 다른 학년과의 연계

    초등 3~4학년 군 : 물질의 성질, 물의 상태 변화

    초등 5~6학년 군 : 여러 가지 기체

    중학교 1~3학년 군 : 물질의 특성

# 05 물질의 세가지 상태

## 1 자갈, 물, 공기 비교하기

### 1. 자갈, 물, 공기 관찰하기

> ★ **탐구**  자갈, 물, 공기 특징 비교하기

> 🧪 **탐구 과정**
> ① 자갈, 물, 공기를 각각 관찰하고 특징을 알아본다.
> ② 자갈, 물, 공기를 친구에게 전해 주고, 받은 친구는 다른 그릇에 넣어 본다.

> 🧪 **탐구 결과 및 결론**
> ① 자갈, 물, 공기 특징

| 자갈 | • 딱딱하고 무겁고 부드럽다.<br>• 모양이 둥글고 변하지 않는다.<br>• 눈에 보이고 손으로 잡을 수 있다. |  |
|---|---|---|
| 물 | • 흔들면 출렁거린다.<br>• 모양이 일정하지 않고 눈에 보인다.<br>• 손으로 잡으면 흘러내리고 손을 적신다. |  |
| 공기 | • 손으로 잡을 수 없고 가볍다.<br>• 지퍼 백을 가득 채우고 있다.<br>• 모양이 일정하지 않고 눈에 보이지 않는다. |  |

② 자갈, 물, 공기를 전해 주고 받아서 다른 그릇에 넣어보기

| 자갈 | 쉽게 잡아서 전해 줄 수 있고 담을 수 있다. |
|---|---|
| 물 | 전해 줄 수는 있으나, 모양이 계속 변하고 흘러내리며 손으로 잡을 수 없다. |
| 공기 | 눈에 보이지 않기 때문에 전해 주기 힘들고, 아무 느낌이 없다. |

### 2. 자갈, 물, 공기 비교하기

| 구분 | 눈에 보이는 정도 | 모양 | 손으로 잡기 | 만져 보기 |
|---|---|---|---|---|
| 자갈 | 보인다. | 변하지 ⓐ____다. | 잡을 수 있다. | 만질 수 있다. |
| 물 | 보인다. | 변한다. | 잡을 수 ⓑ____다 | 만질 수 ⓒ____다. |
| 공기 | 보이지 ⓓ____다. | 변한다. | 잡을 수 없다. | 만질 수 없다. |

## 개념 더하기

● **고체의 딱딱한 성질**
연필, 자갈. 책상 등 대부분의 고체는 딱딱하지만, 고무찰흙과 같이 말랑말랑한 고체도 있다. 따라서 모든 고체가 딱딱한 것은 아니다.

### 용어 풀이

☑ **상태(형상 狀, 모습 態)**
사물이 놓여 있는 모양

☑ **공기(빌 空, 기운 氣)**
지구를 둘러싸고 있는 기체로, 여러 가지 기체가 섞여 있다.

🚩 **정답**

없ⓔ
있ⓑ 있ⓐ 없ⓓ
않ⓒ

# 2 고체

## 1. 고체

① **고체** : 자갈처럼 담는 그릇이 바뀌어도 모양과 크기가 변하지 ⓐ____ 는 물질의 상태

  **예** 나무, 철, 플라스틱 등

② **고체로 이루어진 물체** : 연필, 자, 지우개, 컴퓨터, 선풍기, 책, 공책, 인형, 자동차 등

③ **고체의 공통된 성질**

  • 눈으로 볼 수 있다.

  • 흘러내리지 않고, 손으로 잡을 수 있다.

  • 담는 그릇이 바뀌어도 모양과 크기가 변하지 않고 ⓑ____ 하다.

## 2. 가루 물질의 특징

① **가루 물질 관찰하기**

  • **손으로 만져 보기** : 손으로 만져보면 거칠거칠한 것도 있고, 부드러운 것도 있다.

  • **돋보기로 관찰하기** : 알갱이 하나하나는 일정한 모양이 있다.

▲ 모래         ▲ 설탕         ▲ 소금

② **가루 물질의 성질** : 가루 전체의 모양은 담는 그릇에 따라 변하지만, 알갱이 하나하나의 모양은 변하지 않는다. ▶ 가루 물질은 ⓒ____ 이다.

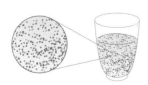    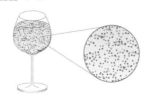

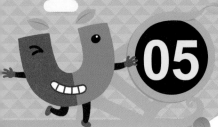

## 개념 더하기

● **액체를 만지는 것과 잡는 것의 차이**

· 물과 같은 액체를 만지면 차갑다, 출렁거린다 등의 느낌을 받을 수 있으므로 액체는 만질 수 있다고 말할 수 있다.

· 액체는 연필처럼 손으로 움켜쥐어 잡을 수 없고, 잡으려고 하면 흘러서 놓치게 된다.

· 액체는 만질 수는 있지만 잡을 수는 없다.

● **끈적거리는 액체**

끈적거리는 꿀, 토마토소스, 마요네즈도 액체이다.

▲ 꿀　　▲ 토마토소스

### 용어 풀이

✓ **액체(진 液, 몸 體)**
담는 그릇에 따라 모양은 변하지만 양은 변하지 않는 물질

### 정답

ⓐ 양 ⓑ 없

---

## 3 액체

### 1. 여러 가지 모양의 그릇에 물을 옮겨 담아보기

**★탐구** 　여러 가지 모양의 그릇에 물을 옮겨 담아보기

**탐구 과정**

① 투명한 그릇 한 개에 물을 넣은 다음, 펜으로 물의 높이를 표시한다.

② 물을 다른 모양의 그릇에 차례대로 옮겨 담으면서 물의 모양을 관찰한다.

③ 물을 처음에 사용한 그릇에 다시 옮겨 담는다.

④ 물을 옮겨 담은 후 물의 높이를 처음과 비교해 본다.

**탐구 결과 및 결론**

① 물의 모양은 담는 그릇의 모양에 따라 변한다.

② 물의 모양은 그릇의 모양과 같다.

③ 물을 여러 가지 모양의 그릇에 옮겨도 처음에 사용한 그릇에 넣었던 물과 같은 높이이므로, 물의 양은 변하지 않는다.

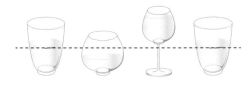

### 2. 액체

① **액체** : 담는 그릇에 따라 모양은 변하지만 ⓐ＿＿ 은 변하지 않는 물질의 상태

　**예** 물, 사이다, 우유, 주스, 간장, 식용유, 액체 세제, 알코올 등

② **액체의 공통된 성질**

· 눈으로 볼 수 있다.

· 흘러내려서 손으로 잡을 수 ⓑ＿＿ 다.

· 담는 그릇에 따라 모양은 변하지만 양은 변하지 않는다.

## 4 기체

### 1. 풍선으로 여러 가지 모양 만들기

**★탐구**  **풍선으로 여러 가지 모양 만들기**

#### 탐구 과정

① 공기 주입기로 여러 가지 모양의 풍선에 공기를 넣어 모양을 만든다.

② 긴 풍선을 비틀거나 묶어서 여러 가지 모양을 만든다.

③ 풍선을 채우고 있는 공기의 모양을 생각해 보고 그려 본다.

공기 주입기
풍선

#### 탐구 결과 및 결론

① 풍선의 모양에 따라 공기의 모양도 변한다.

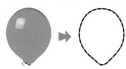    

② 공기는 물과 같이 일정한 모양을 가지고 있지 않다.

③ 풍선에 넣는 공기의 양에 상관없이 공기는 항상 풍선을 가득 채우는 성질이 있다.

### 2. 기체

① **기체** : 담는 그릇에 따라 ⓐ _____이 변하고 담긴 그릇을 항상 가득 채우는 물질의 상태

  **예** 공기, 산소, 이산화 탄소, 헬륨 등

② **기체의 공통된 성질**

• 눈으로 볼 수 없다.

• 손으로 잡을 수 ⓑ \_\_\_다.

• 담는 그릇이 바뀌면 모양이 변하고, 담긴 그릇을 가득 채운다.

**★더 알아보기**  **신기한 기체 헬륨**

평소에는 점잖은 목소리가 나는 사람도 헬륨을 들이마시고 말을 하면, 우스꽝스러운 높은 소리를 낸다. 헬륨은 매우 가벼운 기체이므로 보통 공기에서 보다 소리가 빨리 전달되기 때문이다. 헬륨은 들이마셔도 몸에 흡수되지 않는다.

**개념 더하기**

● **공기를 이루는 물질**

• 질소 : 공기의 대부분을 차지하며, 색깔, 맛, 냄새가 없다. 과자가 상하는 것을 막기 위해 과자 봉지 안에 넣는다.

• 산소 : 공기 중에 질소 다음으로 많고, 색깔, 맛, 냄새가 없다. 우리가 숨을 쉴 때 사용한다.

• 이산화 탄소 : 공기 중에 조금 포함되어 있으며, 색깔, 맛, 냄새가 없다. 우리가 숨을 내쉴 때 나오는 기체로, 불을 끄는 데 사용한다.

• 그 밖에 수소, 헬륨 등이 포함되어 있다.

**용어 풀이**

▼ **기체(기운 氣, 몸 體)**
담는 그릇에 따라 모양이나 크기가 변하는 성질을 지닌 물체

**정답**

ⓐ 모양 ⓑ 없

**01** 다음 중 오른쪽 자갈을 관찰한 내용으로 옳지 <u>않은</u> 것은 어느 것입니까? ( )

① 눈에 보인다.
② 흔들면 출렁거린다.
③ 딱딱하고 부드럽다.
④ 손으로 잡을 수 있다.
⑤ 모양이 둥글고 변하지 않는다.

**02** 다음 중 물과 공기의 차이점으로 옳은 것을 <u>모두</u> 고르시오. ( , )

① 물은 색깔이 있고, 공기는 색깔이 없다.
② 물과 공기는 둘 다 손으로 잡을 수 있다.
③ 물은 모양이 변하지만 공기는 모양이 변하지 않는다.
④ 물은 만지면 느낄 수 있지만 공기는 아무 느낌이 없다.
⑤ 물은 다른 그릇에 옮겨 담을 수 있지만 공기는 옮겨 담기 어렵다.

**03** 다음 중 고체의 성질로 옳지 <u>않은</u> 것은 어느 것입니까? ( )

① 눈에 보인다.
② 흘러 내리지 않는다.
③ 손으로 만질 수 있다.
④ 일정한 모양을 가지고 있다.
⑤ 담는 그릇에 따라 크기가 변한다.

**04** 다음과 같이 얼음 한 개를 여러 그릇에 옮겨 담아 보았을 때 알 수 있는 고체의 성질로 옳은 것을 〈보기〉에서 모두 고른 것은 어느 것입니까? ( )

**보기**
㉠ 눈으로 볼 수 없다.
㉡ 흘러내리지 않고 손으로 잡을 수 없다.
㉢ 모양과 크기가 변하지 않는다.

① ㉢  ② ㉠, ㉡
③ ㉠, ㉢  ④ ㉡, ㉢
⑤ ㉠, ㉡, ㉢

**05** 다음 중 가루 물질에 대한 설명으로 옳지 <u>않은</u> 것은 어느 것입니까? ( )

① 손으로 잡을 수 있다.
② 담는 그릇에 따라 가루 전체 모양이 변하므로 액체이다.
③ 돋보기로 관찰하면 알갱이 하나하나는 일정한 모양이 있다.
④ 손으로 만져보면 거칠거칠한 것도 있고, 부드러운 것도 있다.
⑤ 담는 그릇이 달라져도 알갱이 하나하나의 모양은 변하지 않는다.

정답 및 해설
10쪽

**06** 다음과 같이 여러 모양의 그릇에 물을 옮겨 담아 보면서 알 수 있는 점으로 옳은 것을 〈보기〉에서 모두 고른 것은 어느 것입니까?　(　　)

> **보기**
> ㉠ 액체의 양과 모양 모두 변하지 않는다.
> ㉡ 액체의 모양은 그릇이 달라져도 변하지 않는다.
> ㉢ 액체의 양은 그릇이 달라져도 변하지 않는다.

① ㉠
② ㉢
③ ㉠, ㉡
④ ㉡, ㉢
⑤ ㉠, ㉡, ㉢

**07** 다음 중 물질의 상태가 나머지 넷과 다른 하나는 어느 것입니까?　(　　)

① 간장
② 우유
③ 주스
④ 헬륨
⑤ 사이다

**08** 다음 중 액체의 성질에 대한 설명으로 옳은 것을 모두 고르시오.　(　 , 　)

① 일정한 모양을 가진다.
② 투명해서 눈으로 볼 수 없다.
③ 담는 그릇에 따라 양이 달라진다.
④ 흘러내려서 손으로 잡을 수 없다.
⑤ 담는 그릇에 따라 모양이 달라진다.

**09** 다음은 긴 풍선을 이용하여 강아지 모양을 만든 모습입니다. 이에 대한 설명으로 옳지 않은 것은 어느 것입니까?　(　　)

① 풍선의 모양을 바꾸면 공기의 모양도 변한다.
② 긴 풍선을 비틀거나 묶어서 강아지 모양의 풍선을 만든다.
③ 풍선을 넣은 공기는 양에 관계없이 항상 풍선을 가득 채운다.
④ 풍선이 터지면 풍선 안의 공기가 흘러내리는 것을 볼 수 있다.
⑤ 풍선을 채우고 있는 공기는 일정한 모양을 가지고 있지 않다.

**10** 다음 중 물질의 상태가 같은 것끼리 바르게 짝지은 것을 모두 고르시오.　(　 , 　)

① 얼음, 공기, 철
② 나무, 식초, 우유
③ 식용유, 간장, 주스
④ 꿀, 가죽, 플라스틱
⑤ 헬륨, 이산화 탄소, 산소

# 서술형으로 다지기

**손에 잡히는 문제 해결**

아트 풍선을 만드는 과정을
생각해 봅니다.

▼

풍선 안에 모래를 채워서 아트 풍선을
만들 때를 생각해 봅니다.

▼

풍선 안에 물을 채워서 아트 풍선을
만들 때를 생각해 봅니다.

**01** 긴 풍선을 이용하여 꽃이나 동물 등을 만드는 것을 아트 풍선이라고 합니다. 아트 풍선 안에는 기체인 공기가 들어 있습니다. 만약 공기 대신에 모래나 물로 긴 풍선을 채운다면, 아트 풍선 만들기를 할 때 어려운 점을 이유와 함께 적어보세요.

**손에 잡히는 문제 해결**

고체와 액체의 특징은 무엇일까요?

▼

가루 물질의 특징은 무엇인가요?

▼

가루 물질 알갱이의
특징을 무엇인가요?

**02** 다음은 각설탕과 가루 설탕의 물질의 상태를 구별한 글입니다. 틀린 곳을 찾고, 그 이유를 적어보세요.

> 고체는 그릇에 따라 모양이 변하지 않지만 액체는 담는 그릇에 따라 모양이 변합니다. 각설탕은 그릇에 담아도 모양이 변하지 않지만, 가루 설탕은 그릇에 담으면 모양이 그릇 모양으로 변합니다. 따라서 각설탕은 고체, 가루 설탕은 액체입니다.

**03** 공기는 눈에 보이지 않고 냄새도 나지 않기 때문에 우리 주변에 있는지 잘 인식하지 못합니다. 풍차가 돌아가는 것으로 공기가 있는 것을 알 수 있는 것처럼 공기가 있다는 것을 확인할 수 있는 방법을 <u>세 가지</u> 적어보세요.

🔍 **눈에 잡히는 문제 해결**

공기의 특징은 무엇인가요?

▼

공기를 느낄 수 있었던 상황을 생각해 봅니다.

▼

공기가 있다는 것을 확인할 수 있는 방법은 무엇인가요?

**04** 물은 온도에 따라 고체인 얼음, 액체인 물, 기체인 수증기로 존재하고, 철도 뜨거운 용광로에서는 액체로 변합니다. 이렇게 세 가지 상태로 존재할 수 있는데도 물을 액체, 철을 고체라고 하는 이유를 적어보세요.

🔍 **눈에 잡히는 문제 해결**

물질의 상태는 무엇인가요?

▼

물질의 상태가 변하는 원인은 무엇인인가요?

▼

평소에 우리 주변의 물과 철의 상태는 무엇인가요?

# 융합사고력 키우기

STEAM

☑ **Science**
  ▶ 물질의 상태

☑ **Technology**
  ▶ 과냉각 상태

☐ **Engineering**

☐ **Art**

☐ **Mathmatics**

## 유리는 고체? 액체?

물질에는 세 가지 상태, 즉 고체, 액체, 기체가 있다. 사람이 생활하는 보통의 조건, 1기압, 실온(25 ℃)에서는 고체인 물질도, 액체인 물질도, 기체인 물질도 있는데, 어떤 상태를 가지느냐는 물질이 가지고 있는 고유한 성질이다.

유리가 고체인지 액체인지 구분하기 위해서는 고체와 액체를 구분하는 기준을 정확히 알아야 한다. 고체와 액체를 구분하는 기준은 굳어 있는 정도와 알갱이가 배열되어 있는 규칙성이다. 굳어 있는 정도로 구분하면 얼음처럼 단단하게 굳어 있는 물질은 고체, 물과 같이 흐르는 성질이 있는 물질을 액체라고 한다. 알갱이가 배열되어 있는 규칙성으로 구분하면 얼음처럼 알갱이가 규칙적으로 배열되어 있는 물질을 고체, 물과 같이 알갱이의 배열이 불규칙한 것을 액체라고 한다.

유리는 만져보면 딱딱하기 때문에 고체라고 생각하기 쉽지만, 알갱이 배열을 보면 불규칙하므로 액체라고 할 수 있다. 유리는 모래를 탄산 나트륨과 산화 칼슘과 함께 용광로에 넣고 573 ℃ 이상으로 끓여서 완전히 액체로 만든 후, 식혀서 만든다. 이때 굳는 속도가 너무 빨라서 알갱이들이 규칙적으로 배열되지 않으므로, 겉모양은 고체처럼 단단하게 굳은 물질이 되지만 안쪽은 액체의 성질을 그대로 가진다. 따라서 유리는 고체와 액체의 성질을 모두 가지며, 흐르는 성질이 적은 고체의 성질을 가진 액체, 즉, 과냉각 액체 상태로 분류한다.

케첩, 마요네즈, 치약, 엿 등도 물처럼 흐르는 성질이 크지 않는 점성이 큰 물질로, 고체와 액체의 중간 상태를 가지며 고체의 성질을 가진 액체로 분류한다.

유리 공장

**1** 유리의 상태를 적어보세요.

**용어 풀이**

☑ **과냉각(지날 過, 찰 冷, 물리칠 却)**
온도가 어는점 이하로 낮아져도 고체로 바뀌지 않고 액체 상태로 있는 상태

**2** 유리가 고체가 아닌 이유와 액체가 아닌 이유를 각각 적어보세요.

•　　　　　　　　　　　　　　　　　•

🔍 손에 잡히는 STEAM

고체의 특징은 무엇인가요?

▽

액체의 특징은 무엇인가요?

▽

유리의 성질을 고체와 액체의 특징과 연관지어 생각해 봅니다.

논술형

**3** 로마 박물관에 있는 2000년 이상 오래된 스테인드글라스는 아랫부분이 윗부분보다 두껍습니다. 오래된 건물이나 성당의 스테인드글라스의 아래쪽 두께가 위쪽보다 두꺼워진 이유를 적어보세요.

•　　　　　　　　　　　　　　　　　•

🔍 손에 잡히는 STEAM

굳어 있는 정도로 구분하면 유리는 어떤 상태인가요?

▽

알갱이의 배열로 구분하면 유리는 어떤 상태인가요?

▽

유리가 오랫동안 중력의 영향을 받으면 유리를 구성하는 알갱이는 어떻게 될까요?

# 06 기체의 부피와 무게

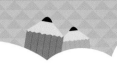

## 1 공간을 차지하는 기체

### 1. 공기가 공간을 차지하는지 알아보기

**탐구** 공기가 공간을 차지하는지 알아보기

#### 탐구 과정

① 수조에 물을 절반 정도 담고 수조 벽에 물 높이를 표시한다.
② 플라스틱 컵 두 개의 안쪽 바닥에 양면테이프로 압축 물휴지를 붙인다.
③ 플라스틱 컵 한 개는 바닥에 구멍을 뚫고 다른 하나는 뚫지 않는다.
④ 구멍이 뚫리지 않은 플라스틱 컵을 뒤집은 상태로 수조의 바닥까지 천천히 누르면서, 플라스틱 컵 안과 수조에서 일어나는 변화를 관찰한다.
④ 구멍이 뚫린 플라스틱 컵을 뒤집은 상태로 수조의 바닥까지 천천히 누르면서, 플라스틱 컵 안과 수조에서 일어나는 변화를 관찰한다.

#### 탐구 결과 및 결론

① 플라스틱 컵 안과 수조에서 일어나는 변화

| 구분 | 바닥에 구멍이 뚫리지 않은 플라스틱 컵 | 바닥에 구멍을 뚫은 플라스틱 컵 |
|---|---|---|
| 모습 | | |
| 플라스틱 컵 안 | • 공기가 그대로 있다.<br>• 압축 물휴지가 젖지 않는다. | • 구멍으로 공기가 빠져나간다.<br>• 압축 물휴지가 ⓐ_____는다. |
| 수조의 물 높이 | ⓑ_____진다. | 변화없다. |

② 바닥에 구멍을 뚫지 않은 플라스틱 컵을 씌우면, 컵 안에 ⓒ_____가 가득 차 있어서 컵 안으로 물이 들어가지 못하므로 압축 물휴지가 젖지 않고 수조의 물 높이가 높아진다.
③ 바닥에 구멍을 뚫은 플라스틱 컵을 씌우면, 컵 안의 공기가 구멍으로 빠져나가고 그 빈 공간을 ⓓ_____이 채우기 때문에 압축 물휴지가 젖어 길어지고 수조의 물 높이는 변화없다.

### 2. 공기의 성질

① 공기는 일정한 ⓔ_____을 차지한다.
② 공기는 이동한다.

## 3. 기체 옮기기

① **피스톤으로 공기 옮기기** : 피스톤을 밀면 주사기와 비닐 관 속의 공기가 이동하기 때문에 반대쪽 피스톤이 ⓐ_____ 가고, 피스톤을 잡아당기면 반대쪽 피스톤이 ⓑ_____ 간다.

② **공기 주입기로 풍선 부풀리기** : 풍선 밖의 공기가 풍선 안으로 이동한다.

③ **타이어에 공기 주입** : 타이어 밖의 공기가 타이어 안으로 이동한다.

④ **수족관 공기 주입 장치** : 수족관 밖의 공기가 수족관 안의 물속으로 이동한다.

⑤ **부채, 선풍기** : 부채질에 의해 공기가 이동하고, 선풍기 뒤에서 앞으로 공기가 이동한다.

⑥ **비눗방울 불기** : 입 안의 공기가 비눗방울 안으로 이동한다.

▲ 풍선 공기 주입기　　▲ 타이어 공기 주입기　▲ 수족관 공기 주입장치　　▲ 선풍기　　　　▲ 비눗방울

## 4. 기체가 부피를 가지고 있는 성질을 이용하는 예

① **기체를 일정한 공간이나 틀 속에 넣어 사용하는 경우**

- 풍선이나 공에 공기를 넣는다.
- 광고 풍선에 공기를 넣는다.
- 공기를 넣은 튜브로 물놀이를 한다.
- 과자 봉지에 질소를 넣는다.

② **공기를 이용한 여러 가지 장비**

- 공기 안전 매트, 구조용 에어백 : 사람이 뛰어내릴 위치에 놓고 사용한다.
- 에어백 잭 : 공기를 채워 차량을 들어 올린다.

▲ 물놀이용 튜브

▲ 공기 안전 매트

---

### 개념 더하기

● **공기의 이동을 이용한 장난감**

- 공기대포 : 풍선을 잡아당겼다 놓으면 플라스틱 컵 구멍으로 공기가 나가 촛불이 꺼진다.
- 에어로켓 : 펌프를 누르면 에어로켓이 발사된다.

▲ 공기대포　　　▲ 에어로켓

● **광고 풍선**

가게 앞에 있는 광고 풍선은 공기 튜브의 아래쪽에 공기를 계속 공급해 주는 송풍기가 있다. 송풍기에서 바람을 일으켜 주기 때문에 일정한 모양을 유지한다.

▲ 광고 풍선

### 용어 풀이

☑ **질소(막을 窒, 바탕 素)**
공기의 78 %를 차지하는 무색, 무미, 무취의 기체

**정답**

ⓑ 나가 　ⓐ 들어

### 개념 더하기

---

## 2 무게를 가지는 기체

### 1. 공기에 무게가 있는지 알아보기

> **★탐구** 공기에 무게가 있는지 알아보기
>
> 🔹 **탐구 과정**
> ① 페트병에 압축 마개를 끼운 후, 전자저울에 올려놓고 무게를 측정한다.
> ② 압축 마개를 사용하여 페트병에 공기를 가득 넣은 후, 전자저울에 올려놓고 무게를 측정한다.
>
>
>
> 🔹 **탐구 결과 및 결론**
> ① 압축 마개를 끼운 페트병의 무게 : 68.5 g
> 공기가 가득 채워진 페트병과 압축 마개의 무게 : 69.4 g
> ② 압축 마개를 사용하여 페트병에 공기를 많이 넣을수록 압축 마개를 끼운 페트병의 무게가 처음보다 ⓐ _____ 진다.
> ③ 공기는 ⓑ _____ 를 가지고 있다.

### 2. 공기의 무게

① 공기는 눈에 보이지 않고 만질 수 없지만, 고체나 액체처럼 무게를 가지고 있다.
② 가로, 세로, 높이가 모두 1 m인 공간에 들어 있는 공기의 무게는 약 1.2 kg이다.
③ 우리가 공부하는 교실 속에 있는 공기의 무게는 약 200 kg으로, 어른 세 명의 무게와 비슷하다.

### 3. 기체가 무게를 가지고 있는 성질을 이용하는 예

① **공기의 무게를 이용하는 경우** : 공기를 넣지 않은 고무보트를 접어 운반한 후, 물놀이 장소에서 공기를 넣어 사용한다.
➡ 공기가 없으므로 가볍고 부피가 작아 운반하기 편리하다.

② **공기의 무게가 있기 때문에 나타나는 현상**
• 놀이공원에서 파는 헬륨 풍선은 공기보다 가볍기 때문에 공기 중에 뜬다.
• 공기보다 가벼운 액화 천연가스(LNG)가 누출되었을 때는 위쪽의 창문을 열어서 내보내야 하고, 공기보다 무거운 액화 석유가스(LPG)가 누출되었을 때는 아래쪽의 문을 열어 내보내야 한다.

---

**● 공기의 무게**

공기는 하늘 높이까지 존재한다. 실제로 머리 둘레가 55 cm인 사람의 머리를 누르는 공기의 무게는 290 kg 정도 되는데 이 무게는 다 큰 돼지 한 마리의 무게와 비슷하다. 그러나 몸속에서 공기의 힘과 똑같은 힘이 바깥쪽을 향해 작용하고 있기 때문에 우리는 공기의 무게를 느끼지 못한다.

---

### 용어 풀이

☑ **압축(누를 壓, 줄일 縮)**
기체나 물체를 누르거나 밀어서 부피를 줄임

---

### 정답

ⓐ 무거워 ⓑ 무게

## 3 물질의 분류

### 1. 우리 주위에 있는 물질 분류하기

▲ 물 ▲ 바닷물 ▲ 눈사람 ▲ 잠수복 ▲ 시계 ▲ 연필

▲ 테니스 공 ▲ 산바람 ▲ 부채 바람 ▲ 선풍기 바람 ▲ 얼음 ▲ 바닷바람

① 눈에 보이는 것과 보이지 않는 것

| 눈에 보이는 것 | 눈에 보이지 않는 것 |
|---|---|
| 연필, 잠수복, 눈사람, 시계, 물, 바닷물, 얼음, 테니스 공 | 부채바람, 선풍기 바람, 산바람, 바닷바람 |

② 손으로 만질 수 있는 것과 만질 수 없는 것

| 손으로 만질 수 있는 것 | 손으로 만질 수 없는 것 |
|---|---|
| 연필, 잠수복, 눈사람, 시계, 물, 바닷물, 얼음, 테니스 공 | 부채바람, 선풍기 바람, 산바람, 바닷바람 |

③ 고체, 액체, 기체로 분류하기

| 고체 | 액체 | 기체 |
|---|---|---|
| 눈사람, 잠수복, 시계, 연필, 얼음, 테니스 공 | 물, 바닷물 | 부채 바람, 선풍기 바람, 산바람, 바닷바람 |

### 2. 물질의 상태

| | |
|---|---|
| ⓐ _____ | • 눈으로 볼 수 있고 손으로 만지거나 잡을 수 있다.<br>• 담는 그릇에 따라 모양과 크기가 변하지 않는다.<br>예 빙산, 바위, 모자, 의자, 책상, 연필, 지우개, 시계, 텔레비전 등 |
| ⓑ _____ | • 눈으로 볼 수 있고 손으로 만질 수 있지만, 잡을 수 없다.<br>• 담는 그릇에 따라 모양이 변하지만 양은 변하지 않는다.<br>예 바닷물, 우유, 식초, 식용유, 주스, 간장, 사이다, 콜라, 알코올 등 |
| ⓒ _____ | • 눈으로 볼 수 없고 손으로 만지거나 잡을 수 없다.<br>• 담는 그릇에 따라 모양이 변하고, 담는 그릇을 항상 고르게 가득 채운다.<br>예 공기, 바람, 수증기, 산소, 질소, 이산화 탄소, 헬륨, 수소 등 |

개념 더하기

● 물, 얼음, 수증기

액체인 물이 얼면 고체인 얼음이 되고, 고체인 얼음이 녹으면 액체인 물이 된다. 물이 끓으면 기체가 되는데, 이 기체를 수증기라고 한다.

● 젤리의 상태

젤리는 액체가 반쯤 엉겨서 이루어진 물렁물렁한 고체이다. 젤리처럼 물렁물렁한 고체에는 두부, 묵 등이 있다.

정답

ⓐ 고체 ⓑ 액체 ⓒ 기체

# 개념기르기

[01~03] 안쪽 바닥에 압축 물휴지가 붙어 있으며 바닥에 구멍이 뚫리지 않은 플라스틱 컵 (가)와 안쪽 바닥에 압축 물휴지가 붙어 있으며 구멍이 뚫린 플라스틱 컵 (나)를 뒤집은 상태로 수조의 바닥까지 천천히 누르는 모습입니다.

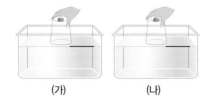

(가)        (나)

**01** (가)에 대한 설명으로 옳은 것은 어느 것입니까? ( )

① 공기가 빠져나간다.
② 압축 물휴지가 젖는다.
③ 수조의 물 높이가 높아진다.
④ 플라스틱 컵 안에 물이 가득 찬다.
⑤ 플라스틱 컵이 바닥에 닿지 않는다.

**02** (나)에 대한 설명으로 옳은 것은 어느 것입니까? ( )

① 압축 물휴지가 젖는다.
② 수조의 물 높이가 낮아진다.
③ 수조의 물 높이가 높아진다.
④ 플라스틱 컵 안에 물이 차지 않는다.
⑤ 플라스틱 컵 안의 공기가 빠져나가지 않는다.

**03** 다음 중 위의 실험을 통하여 알 수 있는 사실로 옳은 것은 어느 것입니까? ( )

① 공기는 물에 잘 녹는다.
② 공기의 부피는 일정하다.
③ 공기는 무게를 가지고 있다.
④ 공기는 공간을 차지하고 있다.
⑤ 공기의 부피는 일정하지 않다.

**04** 다음 중 기체에 대한 설명으로 옳지 <u>않은</u> 것은 어느 것입니까? ( )

① 눈에 보이지 않는다.
② 무게를 가지고 있다.
③ 손으로 잡을 수 없다.
④ 우리 주위에 항상 존재한다.
⑤ 물렁물렁한 축구공이 팽팽한 축구공보다 기체가 더 많이 들어 있다.

**05** 다음 중 기체를 일정한 공간이나 틀 속에 넣어 사용하는 경우로 옳지 <u>않은</u> 것은? ( )

① 과자 봉지에 질소를 넣는다.
② 물놀이용 튜브에 공기를 넣는다.
③ 풍선에 헬륨을 넣으면 공중에 잘 뜬다.
④ 옷, 이불을 압축 팩에 넣고 공기를 빼서 부피를 줄인다.
⑤ 자전거 바퀴나 자동차 바퀴에 공기를 채우면 충격을 줄일 수 있다.

**06** 다음 〈보기〉 중 기체가 이동하는 예로 옳은 것을 모두 고른 것은 어느 것입니까? ( )

> **보기**
> ㉠ 수족관 공기 주입 장치
> ㉡ 비눗방울 불기
> ㉢ 부채나 선풍기

① ㉢                    ② ㉠, ㉡
③ ㉠, ㉢                ④ ㉡, ㉢
⑤ ㉠, ㉡, ㉢

**07** 다음은 주사기 두 개를 이용하여 기체를 옮기는 실험입니다. 이에 대한 설명으로 옳지 <u>않은</u> 것은 어느 것입니까? ( )

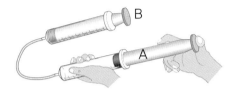

① 공기가 이동하는 것을 알 수 있다.
② 피스톤을 움직이면 반대편 피스톤이 움직인다.
③ 공기가 무게를 가지고 있음을 알 수 있다.
④ 주사기 A 의 피스톤을 밀면 B 주사기의 피스톤이 올라간다.
⑤ 주사기 A 의 피스톤을 잡아당기면 B 주사기의 피스톤이 내려간다.

**08** 다음 중 물질의 상태가 다른 하나는 어느 것입니까? ( )

▲ 산바람

▲ 테니스 공

▲ 눈사람

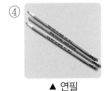
▲ 연필

▲ 시계

**09** 페트병에 압축 마개를 끼운 후 전자저울에 올려놓고 무게를 측정하는 것과 압축 마개를 사용하여 페트병에 공기를 가득 넣은 후, 전자저울에 무게를 측정하면 무게가 차이가 납니다. 그 이유로 옳은 것은 어느 것입니까? ( )

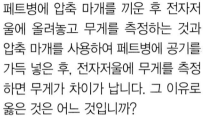

① 공기가 기체이기 때문이다.
② 공기가 물에 잘 녹기 때문이다.
③ 공기가 눈에 보이지 않기 때문이다.
④ 공기가 무게를 가지고 있기 때문이다.
⑤ 공기가 일정한 부피를 차지하고 있기 때문이다.

**10** 다음 중 고체, 액체 기체에 대한 설명으로 옳은 것을 것은 어느 것입니까? ( )

① 고체는 손으로 잡을 수 없다.
② 고체와 액체는 촉감이 부드럽다.
③ 액체는 담는 그릇에 따라 양이 달라진다.
④ 액체는 담긴 그릇을 항상 고르게 가득 채운다.
⑤ 액체와 기체는 담는 그릇에 따라 모양이 변한다.

**11** 다음 중 공기를 넣지 않은 고무보트를 접어 운반할 때 좋은 점을 <u>모두</u> 고르시오. ( , )

① 공기가 없어서 가볍다.
② 고무 냄새를 없앨 수 있다.
③ 부피가 작아 운반하기 편리하다.
④ 고무의 재질이 더 부드러워진다.
⑤ 고무가 따뜻해져서 물놀이하기 좋다.

# 서술형으로 다지기

 손에 잡히는 문제 해결

바퀴의 타이어 속에 들어 있는
물질은 무엇인가요?

▼

공간을 채우는 기체를 바퀴에
넣었을 때를 생각해 봅니다.

▼

기체가 힘을 받으면 어떻게 되나요?

**01** 자전거와 자동차는 고무로 된 바퀴를 이용하여 멀리 이동할 수 있는 운송 수단입니다. 자전거와 자동차의 바퀴 속에 들어 있는 물질을 쓰고, 그것의 역할을 적어보세요.

손에 잡히는 문제 해결

광고 풍선의 모습을 생각해 봅니다.

▼

광고 풍선이 계속 서 있게 하려면
어떻게 해야 할까요?

▼

광고 풍선이 춤을 추려면
어떻게 해야 할까요?

**02** 다음은 가게 앞에 있는 광고 풍선의 모습입니다. 광고 풍선이 계속 펄럭이면서 춤을 출 수 있는 이유를 적어보세요.

**03** 다음 사진과 같이 과자 봉지 속에는 과자가 부서지는 것을 막거나 과자의 신선도를 유지하기 위해 질소를 넣습니다. 다른 기체를 사용하지 않고 질소를 사용하는 이유를 적어보세요.

**04** 삼각 플라스크에 물을 가득 채우고 물을 비커로 옮겼더니 비커에 물이 가득 찼습니다. 물이 가득 찬 비커를 물이 차 있는 수조 속에 넣고 비어 있는 삼각 플라스크를 기울여 비커 속으로 가져 간 다음, 충분한 시간이 지난 후 비커와 삼각 플라스크를 꺼냈습니다. 수조에서 꺼낸 비커와 삼각 플라스크에 물과 공기가 얼마나 채워져 있을지 그렇게 생각한 이유와 함께 적어보세요.

# 융합사고력 키우기

## STEAM

✓ **Science**
　▶ 기체의 무게

✓ **Technology**
　▶ 공기의 부력

☐ **Engineering**

☐ **Art**

✓ **Mathmatics**
　▶ 사각기둥, 원기둥

## 달에 가면 솜뭉치가 쇳덩어리보다 무겁다?

놀이공원에서 부모와 함께 예쁜 풍선을 들고 가던 아이가 갑자기 소리를 지른다. 잠시 한눈을 팔다가 잡고 있던 풍선의 실을 놓쳐버린 것. 아빠와 엄마가 다급하게 손을 내밀어 보지만 풍선은 이미 하늘로 둥실 떠오른다. 주변에서 흔히 볼 수 있는 이 광경에서 공기에도 무게가 있다는 사실을 알 수 있다. 풍선이 하늘로 떠오른 것은 풍선 속에 든 기체가 공기보다 가볍기 때문이다. 풍선에 넣는 기체는 수소 다음으로 가벼운 헬륨이다. 헬륨은 분자량이 4인데 비해 공기의 분자량은 29로서 헬륨에 비해 상당히 높은 편이다. 눈에 보이지 않지만 공기에도 무게가 있기 때문에 그보다 가벼운 헬륨 풍선이 떠오른다. 공기의 무게는 온도와 기압에 따라 다르지만 우리가 사는 1기압에서는 1 m³당 1.2 kg이다. 1 m³는 가로×세로×높이가 1 m인 공간으로 보통 학생들이 공부하는 책상만한 부피로 보면 된다. 책상 하나가 1.2 kg이면 가볍다고 생각할지 모르지만, 하늘 높이 펼쳐진 공간을 생각하면 만만치 않다. 보통 한 사람이 차지하는 면적을 1 m²로 볼 때 거기를 짓누르는 대기권의 공기는 모두 1톤 가량 된다.

똑같이 1 kg의 무게가 나가는 쇳덩어리와 솜뭉치가 있다. 이 두 개의 물건을 달에 가지고 가서 측정하면 어느 물건이 더 무거울까? 정답은 솜뭉치다. 공기도 물과 마찬가지로 유체이므로 부력을 지닌다. 즉, 공기 중에서는 솜뭉치의 부피와 같은 부피의 공기 무게만큼 위로 들어 올려지는 부력이 생긴다. 따라서 진공에서의 실제 솜 뭉치의 질량은 공기 중에서 잰 솜 무게에 솜 부피와 같은 부피의 공기 무게를 더한 값이 된다. 따라서 달과 같은 진공에서는 당연히 쇳덩어리보다 부피가 큰 솜뭉치가 더 무겁다.

부력

**1** 놀이공원에서 예쁜 풍선을 들고 있던 아이가 풍선의 실을 놓치면 풍선이 하늘로 떠오릅니다. 그 이유는 풍선 속에 든 기체가 공기보다 가볍기 때문입니다. 풍선 속에 든 기체는 무엇인가요?

---

### 용어 풀이

☑ **부력**
물이나 공기 같은 유체에 잠긴 물체는 중력과 반대 방향인 윗방향의 힘을 유체로부터 받게 되는데 이 힘을 부력이라 한다.

☑ **유체**
액체와 기체를 합쳐 부르는 용어이다. 변형이 쉽고 흐르는 성질을 갖고 있으며 모양이 정해지지 않은 특징이 있다.

☑ **분자량**
물질을 구성하는 알갱이 즉, 분자의 질량을 나타내는 양

**2** 지구에서 똑같이 1 kg의 무게가 나가는 쇳덩어리와 솜뭉치를 달에 가서 측정하면 솜뭉치가 더 무겁다고 합니다. 달에서도 지구에서처럼 쇳덩이와 솜뭉치의 무게가 같게 측정되게 하려면 어떻게 해야 하는지 적어보세요.

손에 잡히는 STEAM

공기가 있는 지구에서는 부피가 크면 부력의 크기가 어떻게 되나요?

달과 지구의 다른 점은 무엇인가요?

달에서 쇳덩어리와 솜뭉치의 무게가 같으려면 무엇이 같아야 할까요?

논술형

**3** 진공에서 사각기둥 모양과 원기둥 모양으로 부피를 다르게 만든 1 kg짜리 분동 두 개의 무게를 재면 똑같습니다. 사각기둥 모양이 원기둥 모양보다 부피가 클 때, 공기 중에서 두 분동의 무게를 비교하면 어떻게 되는지 과학적으로 서술하세요.

손에 잡히는 STEAM

진공은 어떤 상태인가요?

공기 중에서 부력을 크게 받는 물체는 부피가 어떠한가요?

공기 중에서 부력을 크게 받으면 물체의 무게는 어떻게 달라질까요?

# 탐구력 키우기

## 공기를 이용한 장난감

공기는 눈에 보이지 않지만, 부피와 무게를 가지고 있으며 우리 주변에 항상 존재합니다. 공기를 이용하여 재미있는 장난감을 만들어 보세요.

### 준비물

페트병 2개, 풍선, 가위, 테이프, 빨대, 초, 라이터, 알루미늄 포일

### 탐구 과정

**실험 1**
① 페트병 뒷부분을 7 cm 정도 자른다.
② 풍선 주둥이를 묶은 후 반으로 자른다.
③ 풍선 주둥이를 페트병 뒷부분에 씌운다.
④ 공기가 새지 않도록 고무풍선을 테이프로 붙인다.
⑤ 촛불을 켠다.
⑥ 페트병 입구를 촛불을 향하게 잡고, 고무풍선을 잡아당겼다가 놓는다.

**실험 2**
① 알루미늄 포일을 말아서 페트병 입구 크기의 공 모양을 만든다.
② 알루미늄 포일 공을 페트병 입구에 올린다.
③ 페트병을 누른다.

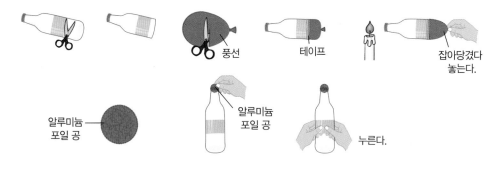

### 주의사항

• 공기가 새지 않도록 고무풍선과 페트병을 테이프로 꼼꼼하게 붙인다.
• 알루미늄 포일 공은 페트병 입구의 크기와 같도록 만들어 공기가 새지 않도록 한다.

**1** 실험 1 에서 고무풍선을 잡아당겼다가 놓았을 때 촛불의 변화를 적어보세요.

**2** 실험 2 에서 페트병을 누르면 알루미늄 포일 공이 어떻게 되는지 적어보세요.

**3** 알루미늄 포일 공을 더 높이 올릴 수 있는 방법을 적어보세요.

**STEAM**

**4** 만약 실험 1 과 실험 2 를 달에서 한다면 결과가 어떻게 달라질지 추리하여 적어보세요.

# Ⅳ 소리의 성질

이 단원의 주요 내용

소리를 내는 여러 가지 물체의 공통점을 알아보고, 높낮이나 세기가 다른 소리를 만들어 본다. 소리가 멀리 전달되거나 반사되는 현상을 알아보고, 일상생활에서 소음을 줄이기 위한 방법을 알아본다.

⭐ 2015 개정 교육과정 교과서

초등 3~4학년 군 :

3학년 2학기 4단원 소리의 성질

⭐ 다른 학년과의 연계

중학교 1~3학년 군 : 빛과 파동

**07** 물체의 떨림에 의한
# 소리 내기

● **사람이 소리를 내는 방법**

사람의 목소리를 내는 곳을 성대라고 한다. 성대에서 소리가 생기기 위해서는 먼저 숨을 들이마셔 폐에 공기를 넣어 둔 후, 가슴이나 배를 당겨 폐에 있던 공기를 밀어내어 목에 있는 후두 안의 성대를 통과시키면 성대가 떨리면서 소리가 난다. 결국 사람은 가슴, 배, 목, 얼굴을 모두 사용하여 소리를 낸다.

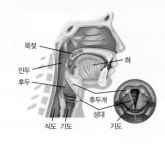

목젖
허
인두
후두
후두개
성대
식도 기도 기도

## 1 다양한 소리 내기

### 1. 소리를 낼 수 있는 물체
비닐봉지, 풍선, 종이봉투, 유리병, 고무줄, 휴대 전화, 플라스틱 자 등

### 2. 다양한 방법으로 소리 내기
① 플라스틱 자나 젓가락을 ⓐ＿＿＿려 소리를 낸다.
② 유리잔에 물을 넣고 두드리거나 ⓑ＿＿＿러 소리를 낸다.
③ 비닐봉지에 공기를 넣어 부풀린 다음 터뜨려서 소리를 낸다.
④ 풍선을 불었다가 놓아 공기가 빠지게 하면서 소리를 낸다.
⑤ 고무줄을 휘둘러서 소리를 낸다.
⑥ 고무줄을 팽팽하게 잡고 뚱겨서 소리를 낸다.
⑦ 유리병의 입구를 ⓒ＿＿＿서 소리를 낸다.
⑧ 페트병에 콩이나 좁쌀을 넣고 ⓓ＿＿＿어서 소리를 낸다.

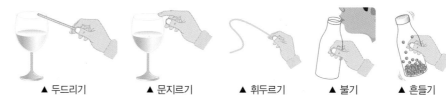

▲ 두드리기　　▲ 문지르기　　▲ 휘두르기　　▲ 불기　　▲ 흔들기

### 3. 여러 가지 소리의 느낌
① 사람들(이야기, 노래 등) : 낮은 소리와 높은 소리가 섞여 재미있다.
② 차(버스, 오토바이 등) : 굵고 큰 소리에 깜짝 놀랐다.
③ 동물(새, 강아지 등) : 새소리나 작은 강아지 소리가 귀엽게 느껴진다.
④ 음악(라디오, 시작종 등) : 여러 악기 소리가 조화롭고 듣기 좋다.
⑤ 소음(책상 부딪치는 소리 등) : 날카로운 소리나 끌리는 소리가 듣기 괴롭다.

★**더 알아보기** 여러 가지 악기의 소리 내는 방법

- **두드려서 소리 내기** : 장구, 징, 북, 실로폰, 트라이앵글 등
- **줄을 뚱겨서 소리 내기** : 거문고, 가야금, 기타 등
- **줄을 문질러서 소리 내기** : 바이올린, 첼로, 아쟁, 해금 등
- **불어서 소리 내기** : 피리, 단소, 리코더, 대금, 플루트 등
- **흔들어서 소리 내기** : 탬버린, 마라카스 등
- **부딪쳐서 소리 내기** : 심벌즈, 캐스터네츠 등

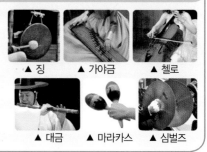

▲ 징　　▲ 가야금　　▲ 첼로
▲ 대금　　▲ 마라카스　　▲ 심벌즈

정답

ⓐ 튕기 ⓑ 문질 ⓒ 불어 ⓓ 흔들

## 2 소리가 날 때 일어나는 현상

### 1. 소리가 나는 소리굽쇠 관찰

**★탐구    소리가 나는 소리굽쇠 관찰**

#### 🧪 탐구 과정

① 소리굽쇠 막대의 고무 부분으로 울림통이 있는 소리굽쇠와 울림통이 없는 소리굽쇠를 쳐 소리를 내어 본다.

② 소리가 나는 소리굽쇠 윗부분에 손을 대어 본다.

③ 소리가 나는 소리굽쇠 윗부분에 종이를 대어 본다.

④ 울림통을 분리하고 소리굽쇠를 쳐 소리가 나는 소리굽쇠 윗부분을 수조의 물 표면에 대어 본다.

#### 🧪 탐구 결과 및 결론

① 울림통이 연결된 상태에서 소리굽쇠를 쳤을 때 소리가 ⓐ____게 들린다.

② 울림통이 없는 소리굽쇠를 쳤을 때 소리가 작게 들린다.

③ 소리가 나는 소리굽쇠 윗부분에 손을 대면 ⓑ_____이 느껴진다.

④ 소리가 나는 소리굽쇠 윗부분에 종이를 대면 종이가 떨리면서 '지지잉~'하는 소리가 난다.

⑤ 소리가 나는 소리굽쇠 윗부분을 수조의 물 표면에 대면 물 위에 ⓒ_____이 생기고 파도치는 모양이 생기며 작은 물방울이 ⓓ____다.

### 2. 소리가 나는 물체의 특징

① 소리굽쇠

• 소리가 나는 소리굽쇠는 ⓔ_____이 느껴진다.

• 소리가 나지 않는 소리굽쇠에서는 떨림이 느껴지지 않는다.

• 소리가 나는 소리굽쇠를 손으로 잡으면 소리가 나지 않는다.

➡ 소리굽쇠의 떨림이 멈추어 소리가 나지 않는다.

② 스피커

• 소리가 나는 스피커에서는 떨림이 느껴진다.

• 소리가 나지 않는 스피커에서는 떨림이 느껴지지 않는다.

### 3. 소리 내기

① 소리는 물체가 떨릴 때 생긴다.

② 물체의 종류마다 떨리는 정도가 다르기 때문에 다른 소리가 난다.

---

**개념 더하기**

● **소리굽쇠에서 만들어지는 소리**

소리굽쇠를 막대로 쳐 소리굽쇠를 떨리게 하면 소리굽쇠 주변의 공기가 함께 떨린다. 떨리는 공기는 다시 이웃하는 공기를 떨리게 한다. 공기의 떨림이 어떤 방향으로 나아가는 것을 소리라고 한다.

**용어 풀이**

☑ **소리굽쇠**
고무봉으로 때려 소리를 발생시키는 U자형 금속 막대

🚩 **정답**

ⓔ 떨림    ⓟ 크

ⓒ 물결    ⓦ 튄    ⓔ 떨림

## 개념 더하기

## 3 소리의 세기와 높낮이

### 1. 소리의 세기
① 소리의 세기 : 소리의 크고 작은 정도
② 소리의 세기를 다르게 하는 방법 : 물체를 두드리는 정도, 줄을 퉁기는 정도, 관을 입으로 부는 정도를 다르게 한다.

좁쌀

| 북을 약하게 칠 때 | 북을 세게 칠 때 |
|---|---|
| • 소리가 작다. | • 소리가 크다. |
| • 북이 조금 떨린다. | • 북이 ⓐ_____ 떨린다. |
| • 좁쌀이 낮게 튀어 오른다. | • 좁쌀이 ⓑ_____ 튀어 오른다. |

### 2. 소리의 높낮이
① 소리의 높낮이 : 소리의 높고 낮은 정도
② 소리의 높낮이를 다르게 하는 방법 : 관의 길이, 떨리는 물체의 무게, 줄의 굵기나 길이, 줄의 팽팽한 정도를 다르게 한다.

| 악기 | 낮은 소리를 내는 방법 | 높은 소리를 내는 방법 |
|---|---|---|
| 팬 플루트 | • ⓒ_____ 관을 분다. | • ⓓ_____ 관을 분다. |
| 실로폰 | • ⓔ_____ 음판을 두드린다. | • ⓕ_____ 음판을 두드린다. |
| 기타 | • ⓖ_____ 줄을 퉁긴다. | • ⓗ_____ 줄을 퉁긴다. |

● **소리의 세기를 나타내는 단위**
① dB(데시벨) : 소리가 얼마나 큰지 나타내는 단위로, 전화기를 발명한 알렉산더 그레이엄 벨의 이름에서 따온 것이다.
② 소리의 세기
 • 0 dB : 귀가 아주 밝은 사람들이 들을 수 있는 가장 작은 소리
 • 40 dB : 도서관 소리
 • 50 dB : 수업 중인 교실 소리
 • 55 dB : 일상적인 대화 소리
 • 70 dB : 교통이 혼잡한 도로 소리
 • 85 dB : 전자 오락실 소리
 • 90 dB : 지하철역, 영화관 소리
 • 100 dB : 노래방, 체육관 소리
 • 120 dB : 소리로 느끼는 고통의 한계
 • 200 dB : 50 m 떨어진 곳에서 로켓이 발사될 때 나는 소리

**정답**
ⓐ 많이  ⓑ 높게
ⓒ 긴  ⓓ 짧은  ⓔ 긴
ⓕ 짧은  ⓖ 굵은  ⓗ 가는

## 3. 간이 악기로 높낮이나 세기가 다른 소리 만들기

| 악기 | 낮은 소리 | 높은 소리 | 작은 소리 | 큰 소리 |
|---|---|---|---|---|
| 고무줄 가야금 | 긴 줄을 뚱긴다. | 짧은 줄을 뚱긴다. | 줄을 약하게 뚱긴다. | 줄을 ⓐ_____ 뚱긴다. |
| 유리병 실로폰 | 물이 ⓑ_____ 컵을 두드린다. | 물이 적은 컵을 두드린다. | 컵을 약하게 두드린다. | 컵을 세게 두드린다. |
| 숟가락 실로폰 | 큰 숟가락을 두드린다. | ⓒ_____ 숟가락을 두드린다. | 숟가락을 약하게 두드린다. | 숟가락을 세게 두드린다. |
| 유리병 피리 | 물이 적은 컵을 분다. | 물이 많은 컵을 분다. | 유리병을 ⓓ_____ 분다. | 유리병을 세게 분다. |

### ★더 알아보기    자를 이용하여 소리의 세기와 높낮이 비교하기

① 책상 밖으로 자가 15 cm 정도 나오게 하고 손으로 누른 후, 자를 세게 튕겨보고 약하게 튕겨 본다.
   - 자를 세게 튕기면 큰 소리가 나고, 약하게 튕기면 작은 소리가 난다.
   - 세게 튕기면 자가 떨리는 폭이 크고, 약하게 튕기면 떨리는 폭이 작다. 이처럼 물체가 떨리는 폭(진폭)이 클수록 큰 소리가 난다.

② 책상 밖으로 자가 15 cm 정도 나오게 하고 손으로 누른 후 자를 튕겨보고, 7 cm 정도 나오게 하고 같은 세기로 튕겨 본다.
   - 자를 길게 빼서 튕기면 낮은 소리가 나고, 짧게 빼서 튕기면 높은 소리가 난다.
   - 길게 뺀 자는 천천히 떨리고, 짧게 뺀 자는 빠르게 떨린다. 이처럼 물체가 떨리는 횟수(진동수)가 많을수록 높은 소리가 난다.

▲ 소리의 세기 비교

▲ 소리의 높낮이 비교

**01** 다음 중 소리가 나지 <u>않는</u> 경우는 어느 것입니까?
( )

① 고무줄을 휘두른다.
② 비닐봉지를 부풀려서 터뜨린다.
③ 젓가락으로 유리병을 두드린다.
④ 유리병의 입구에 바람을 불어 넣는다.
⑤ 유리잔에 물을 넣고 유리잔에 손가락을 댄다.

**02** 다음 악기 중 줄을 문질러서 소리를 내는 악기로 옳은 것은 어느 것입니까? ( )

① ▲ 징

② ▲ 첼로

③ ▲ 심벌즈

④ ▲ 마라카스

⑤ ▲ 가야금

**03** 소리가 나는 스피커에 손을 대었을 때 느낌에 대한 설명으로 옳은 것은 어느 것입니까? ( )

① 차가워진다.
② 뜨거워진다.
③ 떨림이 느껴진다.
④ 떨림이 멈춘다.
⑤ 아무 느낌이 없다.

**04** 소리가 나는 소리굽쇠 윗부분에 종이를 대었을 때에 대한 설명으로 옳은 것은 어느 것입니까?
( )

① 종이는 아무 변화가 없다.
② 소리굽쇠의 소리가 커진다.
③ 소리굽쇠의 소리가 작아진다.
④ 종이가 떨리면서 소리가 난다.
⑤ 종이는 떨리고, 소리굽쇠는 떨림이 멈춘다.

**05** 다음 중 소리가 나는 소리굽쇠의 특징으로 옳지 <u>않은</u> 것을 <u>모두</u> 고르시오. ( , )

① 소리가 나는 소리굽쇠는 떨림이 느껴진다.
② 소리가 나지 않으면 소리굽쇠는 떨리지 않는다.
③ 소리굽쇠에 울림통을 연결하면 소리가 더 크게 들린다.
④ 소리가 나는 소리굽쇠를 물 표면에 대면 소리굽쇠의 떨림이 바로 멈춘다.
⑤ 소리가 나는 소리굽쇠를 손으로 잡으면 떨림이 귀에 전달되어 더 크게 들린다.

**06** 다음 〈보기〉 중 소리 내기에 대한 설명으로 옳은 것을 모두 고른 것은 어느 것입니까? ( )

보기
㉠ 물체가 떨릴 때 소리가 난다.
㉡ 물체의 종류에 관계없이 떨리는 정도는 같다.
㉢ 물체가 떨리지 않아도 소리가 날 수 있다.

① ㉠
② ㉡
③ ㉠, ㉢
④ ㉡, ㉢
⑤ ㉠, ㉡, ㉢

**07** 다음 중 북 위에 좁쌀을 놓고 북을 두드려 소리를 냈을 때 좁쌀의 변화에 대한 설명으로 옳은 것은 어느 것입니까? (　)

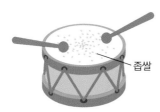

좁쌀

① 공중에 떠 있다.
② 그대로 있다.
③ 북 위를 굴러다닌다.
④ 북 가운데로 모인다.
⑤ 튀어오른다.

**08** 다음 〈보기〉 중 팬 플루트에 대한 설명으로 옳은 것을 모두 고른 것은 어느 것입니까? (　)

보기
㉠ 관이 길수록 낮은 소리가 난다.
㉡ 세게 불면 높은 소리가 난다.
㉢ 관의 길이로 소리의 높낮이를 조절한다.

① ㉠　　　　　② ㉡
③ ㉠, ㉡　　　④ ㉠, ㉢
⑤ ㉡, ㉢

**09** 실로폰으로 가장 높은 음을 연주하기 위해 두드려야 하는 음판은 어느 것입니까? (　)

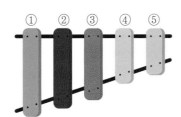
① ② ③ ④ ⑤

**10** 다음 중 간이 악기로 높낮이나 세기가 다른 소리를 내는 방법으로 옳은 것을 모두 고르시오. (　, 　)

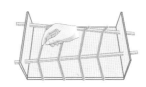
▲ 고무줄 가야금

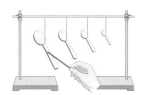
▲ 숟가락 실로폰

① 가장 긴 줄을 뚱기면 가장 작은 소리가 난다.
② 가장 짧은 줄을 뚱기면 가장 높은 소리가 난다.
③ 가장 큰 숟가락을 두드리면 큰 소리가 난다.
④ 가장 작은 숟가락을 두드리면 가장 작은 소리가 난다.
⑤ 숟가락 실로폰은 숟가락의 무게로 소리의 높낮이를 조절할 수 있다.

**11** 다음 〈보기〉 중에서 자를 이용하여 소리의 세기와 높낮이를 비교한 설명으로 옳은 것을 모두 고른 것은 어느 것입니까? (　)

(가)

(나)

보기
㉠ (가)에서 자를 세게 튕기면 약하게 튕긴 자보다 크게 떨리면서 높은 소리가 난다.
㉡ (나)와 같이 자를 짧게 빼고 튕기면 크게 빼고 튕긴 자보다 크게 떨리면서 큰 소리가 난다.
㉢ (나)와 같이 짧게 뺀 자가 길게 뺀 자보다 떨리는 횟수가 많아 높은 소리가 난다.

① ㉡　　　　　② ㉢
③ ㉠, ㉡　　　④ ㉠, ㉢
⑤ ㉡, ㉢

# 서술형으로 다지기

**손에 잡히는 문제 해결**

소리가 나는 이유는 무엇인가요?

▼

트라이앵글을 실이나 고리에 매달아 치면 잘 떨리나요?

▼

트라이앵글을 손으로 잡고 쇠막대로 치면 잘 떨리나요?

**01** 트라이앵글은 쇠로 만든 세모 모양을 실이나 고리에 매달아 쇠막대로 쳐서 소리를 내는 악기입니다. 트라이앵글을 손으로 잡지 않고 실이나 고리에 매달아 치는 이유를 적어보세요.

**손에 잡히는 문제 해결**

바이올린은 어떻게 소리를 내나요?

▼

플루트는 어떻게 소리를 내나요?

▼

떨리는 방법에 따라 소리가 어떻게 달라지는지 생각해 봅니다.

**02** 다음과 같이 바이올린과 플루트를 이용하여 같은 소리의 세기와 높낮이로 음을 연주하였습니다. 소리의 세기와 높낮이가 같은데도 두 소리가 다르게 느껴지는 이유를 적어보세요.

**03** 다음은 구멍을 손가락으로 막으면서 소리를 내는 리코더입니다. 손가락으로 리코더의 구멍을 모두 막으면 어떤 소리가 나는지 이유와 함께 적어보세요.

 **손에 잡히는 문제 해결**

소리가 나는 이유는 무엇인가요?

▼

리코더에서 소리를 내는
물질은 무엇인가요?

▼

손가락으로 구멍을 막으면 소리를
내는 물질이 어떻게 달라지나요?

**논술형**
**04** 헬륨이 들어 있는 풍선을 마시면 원래 목소리와는 다르게 소리가 높아져 우스꽝스러운 목소리가 납니다. 헬륨 기체를 마셨을 때 소리가 높아지는 이유를 추리하여 적어보세요.

**손에 잡히는 문제 해결**

진동하는 횟수와 소리의 높이의
관계를 생각해 보세요.

▼

헬륨이 일반 공기와
다른 점은 무엇인가요?

▼

성대 주변에 헬륨이 있다면
성대의 떨림이 어떻게 변할까요?

STEAM ✨

- ✅ Science
  - ▶ 소리
- ✅ Technology
  - ▶ 언어학
- ☐ Engineering
- ☐ Art
- ☐ Mathmatics

## 코끼리, 침팬지, 앵무새와 대화하고 싶다고?

"안녕", "아니야", "좋아"

수 년 전 텔레비전 한 프로에 소개돼 유명해진 에버랜드 동물원에 있는 말하는 코끼리 '코식이'에 대한 연구 결과가 생물학 학술지 '커런트 바이올로지'에 실렸다. 논문 제목은 '사람 발성을 모방하는 아시아 코끼리'. 한국에 말하는 코끼리가 있다는 얘기를 듣고 흥미를 느낀 오스트리아 비엔나대 인지심리학과팀이 코식이를 직접 관찰하고 음성을 녹음해 분석한 결과가 실린 것이다.

텔레비전이나 인터넷에서 코식이가 말하는 장면을 본 사람은 알겠지만, 정말 신기하게도 이 듬직한 22살짜리 청년이 말하는 것을 보지 않고 듣기만 하면 사람이 말한 것처럼 착각할 정도다. 앵무새나 구관조가 말할 때는 신기하기는 하지만 새소리 같다는 느낌이 강한데 코식이 발음은 다르다. 코식이가 말하는 단어는 '안녕, 앉아, 아니야, 누워, 좋아' 이렇게 다섯 가지다. 연구자들은 코식이에 대해 모르는 사람 16명에게 녹음한 코식이의 말을 들려준 뒤 받아쓰게 했다. 그 결과 '안녕'이 56 %로 인지도가 가장 높았고 '아니야' 44 %, '누워' 31 %, '앉아' 15 %로 뒤를 이었다.

말하는 코식이

**1** 위 글을 읽고 내용과 어울리는 제목을 다시 지어 적어보세요.

- ●
- ●

**2** 코끼리는 사람보다 저음을 내는데, 그것은 성대와 관련이 있다고 합니다. 사람과 비교하여 코끼리가 저음을 내는 이유를 적어보세요.

손에 잡히는 **STEAM**

> 소리가 나는 이유는 무엇인가요?

▼

> 낮은 소리가 날 때 성대가
> 떨리는 정도는 어떠할까요?

> 코끼리와 사람의 성대의 크기는
> 어떤 차이가 있을까요?

논술형

**3** 코끼리는 사람이 들을 수 없는 범위인 진동수 20 Hz(헤르츠) 미만의 저음으로 서로 의사소통을 합니다. 코식이가 사람 목소리의 진동수 영역의 소리를 내는 원리를 적어보세요.

손에 잡히는 **STEAM**

> 저음과 고음의 차이점은 무엇인가요?

> 높은 소리를 내려면 떨리는 정도를
> 어떻게 해야 하나요?

> 코식이가 높은 소리를 내려면
> 어떻게 해야 할까요?

## 개념 더하기

● **물속에서 소리의 전달**

• 수중 발레를 하는 사람들은 물 속의 스피커에서 나오는 음악 소리를 물을 통해서 듣고 춤을 춘다.

• 돌고래는 소리를 내어 물속에서 서로 의사소통을 한다.

● **우주에서의 소리 전달**

고장난 우주선을 고치기 위해 두 우주인이 유영할 때 우주 공간에서는 공기가 없어 소리가 전달되지 않으므로 두 우주인은 통신 장비 없이 대화할 수 없다.

### 용어 풀이

☑ **진공(참 眞, 빌 空)**
물질이 전혀 존재하지 않는 공간을 의미하지만, 실제로는 이렇게 만들기가 어렵기 때문에 공기의 압력이 매우 낮은 상태를 뜻한다.

 **정답**

① 물질 ⑩ 않는

## 1 소리가 전달되는 방법

### 1. 공기 속에서 소리의 전달

① 촛불 옆에서 큰 북을 치면 촛불이 좌우로 흔들린다.

② 스피커 앞에 촛불을 두면 촛불이 좌우로 흔들린다.

➡ 소리가 기체 상태의 물질(공기)을 통해 전달된다.

### 2. 고체에서 소리의 전달

① 책상에 귀를 대고 두드리면 소리가 잘 들린다.

② 철봉이나 정글짐 끝에 귀를 대고 다른 쪽 끝을 막대기로 두드리면 소리가 잘 들린다.

➡ 소리가 고체 상태의 물질(책상, 철봉, 정글짐)을 통해 전달된다.

### 3. 액체에서 소리의 전달

① 물속에서 구슬을 부딪치면 밖에서도 구슬 부딪치는 소리가 잘 들린다.

② 수영장 물속에서도 밖의 소리가 들린다.

③ 잠수부도 물속에서 소리를 들을 수 있다.

➡ 소리가 액체 상태의 물질(물)을 통해 전달된다.

### 4. 소리의 전달

① 소리는 공기, 물, 나무 등 여러 가지 ⓐ_____를 통해 전달된다.

  • 소리를 잘 전달하는 순서 : 고체 > 액체 > 기체

② 대부분 공기를 통하여 소리가 전달된다.

③ 소리를 전달하여 주는 공기가 없는 우주나 진공실험용기 안에서는 소리가 전달되지 않으므로 들리지 ⓑ_____다.

  • 달 표면에서는 소리가 전달되지 않는다.

  • 진공실험용기에 휴대 전화를 넣고 공기를 빼면 휴대 전화 벨소리가 점점 잘 들리지 않는다.

## 2 소리를 멀리까지 전달하기

### 1. 소리를 멀리까지 전달하는 여러 가지 방법
① **전신기** : "딱따딱" 소리가 나는 모스 부호로 소리를 전달한다.
② **전화** : 휴대 전화, 집 전화, 공중전화 등 여러 가지 전화기로 소리를 전달한다.

▲ 전신기

### 2. 실 전화기로 소리 전달하기

**★탐구** **실 전화로 소리 전달하기**

#### 탐구 과정
① 종이컵 두 개의 바닥에 송곳으로 구멍을 뚫는다.
② 종이컵 바닥의 구멍에 실을 넣어 두 종이컵을 연결한다.
③ 종이컵을 통과한 실의 끝에 클립을 연결하여 실이 빠지지 않도록 한다.
④ 실 전화기의 종이컵을 입과 귀에 대면서 친구와 통화한다.
⑤ 실 전화기를 교차 연결하여 여러 친구와 통화한다.

#### 탐구 결과 및 결론
① ⓐ____이 떨리면서 소리를 전달한다.
② 실을 ⓑ____하게 할수록 소리가 더 잘 들린다.
③ 실 전화기를 교차 연결하면 여러 명이 서로 이야기하고 들을 수 있다.

① **실 전화에서 소리를 더 잘 들리게 할 수 있는 방법**
- 실을 컵에 단단히 고정하고, 실을 손으로 잡지 않는다.
- 실을 ⓒ____게 하고 팽팽하게 당긴다.
- 두꺼운 실이나 잘 끊어지지 않는 ⓓ____한 실을 사용한다.
- 실에 ⓔ____을 흠뻑 묻힌다.

② **실이 아닌 다른 물체 이용하기**
- 실 대신 용수철, 구리선, 낚싯줄, 막대풍선 등을 연결하면 소리가 더 잘 들린다.
  ➡ 실보다 용수철, 구리선, 낚싯줄, 막대 풍선 등이 소리를 더 잘 전달한다.

---

### 개념 더하기

● **봉수대**
옛날에는 소리 대신 봉수대에서 불이나 연기로 멀리까지 소식을 전달하였다.

▲ 봉수대

● **실 전화기에 물을 묻히면 소리가 더 잘 들리는 이유**
실은 여러 겹의 가는 실이 나선형으로 꼬인 것이다. 가는 실이 서로 붙어 있지만 그 사이에 공기가 들어갈 만큼의 작은 공간이 있기 때문에 실이 단단해지지 않는다. 실에 물을 묻히면 실 사이의 작은 공간이 물로 채워져 실이 더 단단해지므로 소리를 더 잘 전달한다.

● **실 전화기에서 실보다 용수철이나 구리선을 연결했을 때 소리가 더 잘 들리는 이유**
용수철이나 구리선은 실보다 탄성이 더 크기 때문에 진동이 쉽게 전달되기 때문이다. 실 전화기로 전달할 수 있는 최대 거리는 약 15 m 정도이며, 실의 재질이 단단하고 두꺼울수록 더 긴 실 전화기를 만들 수 있다.

**정답**

롬 ⓐ 옾 ⓑ
뫓 ⓒ 꿈꿈 ⓓ 믈 ⓔ

# 08 소리의 전달과 반사

개념 더하기

## 3 소리의 반사

### 1. 소리의 반사

**★탐구**  소리의 반사

**탐구 과정**
① 플라스틱 원통에 소리가 나는 스피커를 넣고 소리를 들어본다.
② 플라스틱 원통 위에 나무판을 비스듬하게 대고 소리를 들어본다.

스피커

**탐구 결과 및 결론**
① 나무판이 없을 때는 스피커의 소리가 작게 들린다.
② 플라스틱 원통 위에 나무판을 비스듬하게 대면 스피커의 소리가 조금 더 ⓐ_____게 들린다.
③ 플라스틱 원통 위에 비스듬하게 세운 나무판은 스피커의 소리를 ⓑ_____시킨다.

① 소리의 반사 : 소리가 나아가다 물체에 부딪히면 ⓒ_____을 바꾸는 현상
② 물체의 재질이 딱딱할수록 소리가 잘 반사된다.

### 2. 소리의 반사에 의한 현상이나 활용

① **메아리** : 높은 산의 계곡에서 산을 향해 소리를 지르면 소리가 반사되어 되돌아오기 때문에 조금 뒤에 소리가 다시 들린다.
② **집음 마이크** : 먼 곳에서 나는 소리나 작은 소리를 접시 모양의 물체에 반사시켜 모은 뒤, 중앙에 있는 마이크로 보내면 잘 들을 수 있다.
③ **음악당 천장** : 천장에서 소리가 반사되므로 모든 객석에서 소리가 잘 들린다.
④ **자동차 후방 감지기** : 자동차가 후진할 때 장애물에서 반사되는 초음파를 감지하여 장애물이 있는지 없는지 알아낸다.
⑤ **초음파 진단 장치** : 우리 몸속으로 초음파를 보낸 후 반사되는 초음파를 감지하여 영상으로 만든다.

▲ 집음 마이크

▲ 음악당 천장

▲ 자동차 후방 감지기

▲ 초음파 진단 장치

---

● **작은 소리를 잘 듣는 동물의 귀**
토끼, 기린 등 초식 동물은 귀가 크거나 귓바퀴를 움직여 소리를 모을 수 있어 작은 소리를 잘 들을 수 있다.

**용어 풀이**

☑ **집음**(모을 集, 소리 音)
소리를 모으다.

☑ **초음파**(뛰어넘을 超, 소리 音, 물결 波)
사람의 귀로 들을 수 없는 소리

**정답**
ⓐ 크 ⓑ 반사 ⓒ 방향

## 4 소음

### 1. 소음
① 소음 : 사람이 듣기 싫고 불쾌감을 느끼는 소리
② 소음의 기준 : 개인에 따라, 환경에 따라 다르다.
③ 소음의 발생
- 자동차, 철도, 비행기와 같은 교통 수단의 이동에서 나오는 소음
- 공장에서 나는 기계음
- 가정에서 사용하는 TV, 오디오, 피아노, 세탁기 등이 유발하는 생활 소음

### 2. 소음으로 인한 피해
① 심리적인 피해 : 정서 불안, 주의산만, 스트레스 등
② 생리적인 피해 : 소화 장애, 심장 박동수 증가, 호흡 속도 증가, 수면 장애 등
③ 신체적인 피해 : 소음성 난청, 이명 등

### 3. 소음을 줄이기 위한 방법
① 소음을 일으키는 원인을 줄이는 방법
- 기계의 마찰 부위에 윤활유를 칠한다.
- 진동하는 물체에 진동을 흡수할 수 있는 받침대를 설치한다.
- 늦은 밤에 항공기의 운행을 제한한다.
② 소리의 전달을 막는 방법
- 거실 바닥에 소리를 잘 흡수하고 전달하지 않는 층간 소음 매트를 깐다.
- 녹음실 벽에 소리를 잘 흡수하고 밖으로 잘 전달하지 않는 흡음재를 붙인다.
- 주택을 지을 때 천장과 벽에 소리를 잘 흡수하는 흡음재를 붙인다.
- 출입구나 창을 이중으로 설치하고 틈이 생기지 않도록 한다.
③ 소리의 반사를 이용하는 방법
- 소음이 심한 큰길과 주택가 사이에 도로 ⓐ_____을 설치하거나 방음림(나무)을 심는다.

▲ 윤활유

▲ 진동 방지 받침대

▲ 녹음실 방음 시설

▲ 도로 방음벽

# 개념기르기

**01** 다음과 같이 촛불 옆에서 큰 북을 쳤을 때의 촛불의 모습으로 옳은 것은 어느 것입니까? (　　)

① 촛불이 좌우로 흔들린다.
② 촛불이 위아래로 흔들린다.
③ 촛불이 큰 북쪽으로 움직인다.
④ 촛불이 큰 북을 치는 순간 사라진다.
⑤ 큰 북을 쳤을 때와 치지 않았을 때 촛불의 모습은 같다.

**02** 다음과 같이 물속에서 구슬을 서로 부딪치는 실험에 대한 설명으로 옳지 <u>않은</u> 것을 <u>모두</u> 고르시오. (　　,　　)

① 소리가 액체에서 전달되는 것을 알 수 있다.
② 구슬이 부딪치는 소리가 물 밖에서도 잘 들린다.
③ 물속에서 구슬을 서로 부딪치는 소리를 들을 수 있다.
④ 수중 발레를 할 때 음악 소리를 들으려면 물 밖으로 나와야 한다.
⑤ 위 실험을 통해 소리가 공기에서보다 물속에서 더 빨리 전달됨을 알 수 있다.

**03** 다음 〈보기〉 중 소리의 전달에 대한 설명으로 옳은 것을 모두 고른 것은 어느 것입니까? (　　)

> **보기**
> ㉠ 고체, 액체, 기체 중 고체에서 소리가 가장 빨리 전달되며, 기체에서 가장 느리게 전달된다.
> ㉡ 공기가 없는 우주나 진공 장치 속에서는 소리가 전달되지 않는다.
> ㉢ 소리는 공기, 물, 철 등 여러 가지 물질을 통해 전달된다.

① ㉡　　　　　　　　② ㉠, ㉡
③ ㉠, ㉢　　　　　　④ ㉡, ㉢
⑤ ㉠, ㉡, ㉢

**04** 다음 중 소리를 멀리까지 전달하는 도구로 옳은 것을 <u>모두</u> 고르시오. (　　,　　)

① 봉수대　　　　　② 전신기
③ 전화기　　　　　④ 스피커
⑤ 알람 시계

**05** 다음 중 실 전화에서 소리를 더 잘 들리게 할 수 있는 방법으로 옳지 <u>않은</u> 것은 어느 것입니까? (　　)

① 두꺼운 실을 사용한다.
② 실에 물을 흠뻑 묻힌다.
③ 실을 짧게 하고 팽팽하게 당긴다.
④ 실 대신 구리선이나 용수철을 사용한다.
⑤ 실을 컵에 단단히 고정하고, 실을 손으로 잡아 당긴다.

**06** 플라스틱 원통에 소리가 나는 스피커를 넣고 밖에서 소리를 들어보는 실험을 했습니다. 다음 〈보기〉 중 실험 결과에 대한 설명으로 옳은 것을 모두 고른 것은 어느 것입니까? ( )

보기

㉠ 나무판이 없을 때는 스피커의 소리가 작게 들린다.
㉡ 원통 위에 나무판을 비스듬하게 대면 스피커의 소리가 조금 더 작게 들린다.
㉢ 나무판 대신 딱딱한 유리판을 이용하면 스피커의 소리가 더 크게 들린다.
㉣ 원통 위에 비스듬하게 세운 나무판은 스피커의 소리를 흡수한다.

① ㉠, ㉡          ② ㉠, ㉢
③ ㉠, ㉣          ④ ㉡, ㉢
⑤ ㉡, ㉣

**07** 다음 중 소리의 반사에 대한 설명으로 옳은 것은 어느 것입니까? ( )

① 소리가 나아가다가 물체에 부딪혀 사라지는 현상이다.
② 소리가 나아가다가 물체에 부딪혀 방향을 바꾸는 현상이다.
③ 재질이 부드러울수록 소리가 잘 반사된다.
④ 소리가 반사되면 세기가 약해지므로 소리를 들을 수 없다.
⑤ 음악당 천장은 소리가 반사되지 않도록 만들어야 한다.

**08** 소리의 반사에 의한 현상이나 활용에 대한 설명으로 옳은 것을 모두 고르시오. ( , )

① 우주에서는 소리를 들을 수 없다.
② 높은 산의 계곡에서 산을 향해 소리를 지르면 소리가 반사되어 메아리가 들린다.
③ 집음 마이크를 이용하면 먼 곳에서 나는 소리나 작은 소리를 잘 들을 수 있다.
④ 고무줄을 팽팽하게 잡고 뚱기면 소리가 난다.
⑤ 잠수부들은 물속에서도 소리를 들을 수 있다.

**09** 다음 중 소음을 줄이는 방법으로 옳지 않은 것은 어느 것입니까? ( )

① 기계의 마찰 부위에 윤활유를 뿌린다.
② 진동하는 물체에 진동을 흡수하는 받침대를 설치한다.
③ 출입구나 창을 이중으로 설치하고 틈이 생기지 않도록 한다.
④ 녹음실 벽에 소리를 잘 전달하는 물질을 붙인다.
⑤ 소음이 심한 큰길과 주택가 사이에 도로 방음벽을 설치한다.

**10** 다음 중 소리의 반사를 이용하여 소음을 줄이는 방법으로 옳은 것은 어느 것입니까? ( )

① 소음이 심한 큰길과 주택가 사이에 도로 방음벽을 설치한다.
② 늦은 밤에 항공기의 운행을 제한한다.
③ 주택을 지을 때 천장과 벽에 흡음재를 붙인다.
④ 진동하는 물체에 받침대를 설치한다.
⑤ 창문을 이중으로 설치한다.

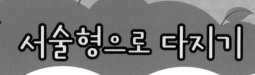

# 서술형으로 다지기

손에 잡히는 문제 해결

메아리가 생기는 원인을
생각해 봅니다.

▼

달과 지구의 차이점은 무엇인가요?

▼

달에서도 지구에서와 같이
메아리를 들을 수 있을까요?

**01** 산 위에 올라가서 '야호~' 소리를 지르면 소리가 산에 부딪쳐서 돌아오면서 메아리가 들립니다. 만약 달에 가서 소리를 지르면 메아리를 들을 수 있을지 없을지 이유와 함께 적어보세요.

손에 잡히는 문제 해결

목욕탕 바닥과 벽의
재질은 어떠한가요?

▼

목욕탕의 바닥과 벽에 소리가
닿으면 어떻게 될까요?

▼

목욕탕에서 소리가 웅장하게
들리는 이유는 무엇일까요?

**02** 목욕탕에서 노래를 부르면 평소에 부르는 노래보다 소리가 잘 울려 더 웅장하게 들립니다. 목욕탕에서 소리가 더 웅장하게 들리는 이유를 적어보세요.

**03** 휴대 전화는 선이 없어도 멀리까지 소리를 전달할 수 있습니다. 선이 없어도 소리를 전달할 수 있는 이유를 적어보세요.

손에 잡히는 문제 해결

소리는 어떻게 전달될까요?

▼

휴대 전화에 말을 하면
소리는 어떻게 바뀔까요?

▼

소리를 멀리 전달할 수 있는
신호는 무엇이 있을까요?

**04** 다음 사진과 같이 기찻길에는 자갈이 깔려 있는 것을 볼 수 있습니다. 이렇게 자갈이 깔려 있는 구간이 콘크리트만 있는 구간보다 더 유리한 점을 소리와 관련지어 적어보세요.

손에 잡히는 문제 해결

기차가 빠르게 지나가면
주위에 어떤 현상이 나타날까요?

▼

큰 소리가 콘크리트 바닥에
닿으면 어떻게 될까요?

▼

큰 소리가 자갈과 자갈 사이의
공간에 들어가면 어떻게 될까요?

STEAM

- ✓ **Science**
  - ▶ 소리
- ✓ **Technology**
  - ▶ 소음
- ✓ **Engineering**
  - ▶ 환경
- ☐ **Art**
- ☐ **Mathmatics**

## 소음, 성적 하락의 주범

스마트폰이 일상화된 요즘 지하철 같은 대중교통에서는 물론이고 거리에서도 이어폰을 꽂고 있는 사람을 많이 볼 수 있다. 일부는 옆 사람에게 방해가 될 정도로 소리를 높여 놔 눈살을 찌푸리게 만들기도 한다.

한 연구팀은 소음이 학생들의 학습 능력에 어떤 영향을 미치는지 확인하는 실험을 했다. 울산 시내 초등학교 3곳의 5, 6학년생 164명을 대상으로 교실에서 각각 45, 60, 65, 70, 75 dB(데시벨)의 소음을 들려주면서 벨 소리가 나면 반응하기, 숫자 4개를 크기순으로 배열하기, 빨간색과 초록색으로 적힌 숫자 중에서 빨간색 숫자만 크기 순으로 배열하기 등의 실험을 했다. 그 결과 소리가 65 dB 이상이 되자, 소리에 대한 반응속도, 주의력, 기억력 등이 5~15 % 정도 떨어지는 것으로 나타났다. 65 dB까지는 시끄러워도 집중하려는 노력을 보였지만, 그 이상의 소음에서는 집중하려는 노력조차 소용이 없었다.

65 dB은 일상적인 대화를 나눌 때 들리는 소리다. 이 정도의 소리도 끊임없이 들리면 문제가 된다는 것이다. 현재 학교 실내의 소음 기준은 55 dB 이하이며, 학교 바깥은 주간에 65 dB, 야간에는 50 dB 이하다.

소음은 학습 능력뿐만 아니라 건강에도 나쁜 영향을 미칠 수 있다. 75 dB의 환경에서는 스트레스 호르몬인 '코르티솔'의 수치가 높게 나온다. 더군다나 큰 소음은 심장박동에도 변화를 준다. 심한 소음은 스트레스를 가져오고 심장에 무리를 줘서 심장마비로 이어질 수 있다. 따라서 소음도 주요 환경 문제로 다뤄야 한다.

소음과 학습 능력

**1** 소리 중에 불쾌하게 느껴지거나 듣고 싶은 소리를 방해하는 소리로 시끄러워서 듣고 싶지 않은 소리는 무엇인가요?

---

**용어 풀이**

✓ **호르몬**
세포에서 분비되어 몸에서 일어나는 여러 가지 작용을 조절하는 물질

2 소음은 학습 능력뿐만 아니라 건강에도 나쁜 영향을 미칠 수 있습니다. 오른쪽 그림과 같이 외부 소음을 완벽히 차단한 무향실 안에 있을 때 나타나는 반응을 예상하여 적어보세요.

**손에 잡히는 STEAM**

주변 소리가 전혀 나지 않는 상황을 생각해 봅니다.

▼

우리 몸에서 나는 소리에는 무엇이 있을까요?

▼

낯선 소리를 들으면 우리 몸은 어떤 반응을 나타낼까요?

논술형

3 소음은 새로운 환경 오염이기 때문에 대처 방법에 대한 연구가 아직 미비합니다. 학교 주변의 소음을 줄일 수 있는 방안을 세 가지 이상 적어보세요.

**손에 잡히는 STEAM**

학교 주변에서 소음을 발생시키는 원인은 무엇인가요?

▼

소음이 나는 원인을 줄이는 방법은 무엇이 있을까요?

▼

소음이 전달되는 것을 막는 방법은 무엇이 있을까요?

# 탐구력 키우기

# 고무줄 악기

악기는 다양한 높낮이의 소리를 만든다. 고무줄이 다양한 소리를 만드는 방법을 알아보고, 노래를 연주할 수 있는 고무줄 악기를 만들어 보자.

## 준비물

종이컵, 고무줄, 클립, 자, 가위, 마분지, 테이프, 나무젓가락, 풀

## 탐구 과정

**실험 1**　① 30 cm 자 아랫부분에 종이컵을 붙인다.

② 고무줄을 자르고 한쪽 끝에 클립을 묶는다.

③ 종이컵 바닥에 구멍을 뚫고 고무줄을 꺼낸 후 자 끝 부분에 테이프로 붙인다.

④ 느슨한 고무줄을 퉁긴다.

⑤ 고무줄을 팽팽하게 잡아당긴 후 고무줄을 퉁겨 본다.

⑥ 한쪽 손가락으로 고무줄을 제일 윗부분을 잡고 다른 손가락으로 고무줄을 퉁겨 본다.

⑦ 고무줄 중간 부분과 아랫부분을 잡고 고무줄을 퉁겨 본다.

**실험 2**　① 마분지로 상자 모양을 만들고 한쪽에 구멍을 뚫는다.

② 상자에 고무줄을 걸치고 상자 가장 자리에 나무젓가락 도막을 끼운다.

③ 고무줄을 누르면서 도레미파솔라시도 음계를 찾는다.

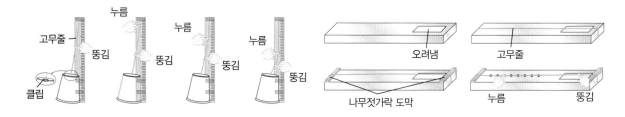

## 주의사항

• 고무줄을 살짝 퉁기고 발생하는 소리를 주의 깊게 듣는다.

**1** 고무줄을 뚱길 때 소리가 만들어지는 이유를 적어보세요.

**2** 실험 2 의 과정 ④, ⑤, ⑥, ⑦의 차이점을 적어보세요.

• 느슨한 고무줄을 뚱겼을 때 :

• 팽팽한 고무줄을 뚱겼을 때 :

• 고무줄 제일 윗부분을 잡고 뚱겼을 때 :

• 고무줄 아랫부분을 잡고 뚱겼을 때 :

**3** 실험 2 의 과정 ③에서 고무줄을 누르는 위치가 뚱기는 손쪽으로 가까이 갈수록 소리가 어떻게 변하는지 적어보세요.

**STEAM**

**4** 바이올린, 비올라, 첼로, 더블베이스는 모두 4개의 줄로 이루어진 현악기입니다. 활로 줄을 문질러서 소리를 내는 이 악기들은 모두 다른 높낮이의 소리를 만듭니다. 4개의 현악기 중 가장 높은 소리를 내는 악기와 가장 낮은 소리를 내는 악기를 고르고, 그 이유를 적어보세요.

• 가장 높은 소리를 내는 악기 :

• 가장 낮은 소리를 내는 악기 :

• 이유 :

현악기    ▲ 바이올린   ▲ 비올라    ▲ 첼로    ▲ 더블베이스

# 융합인재교육 STEAM 이란?

- 수학, 과학, 기술, 공학 간 상호 연계성 고려, 학문 간 공통 핵심 요소 중심으로 교육
- 예술적 소양을 함양하고 타 학문에 대한 이해가 깊은 미래형 인재 양성으로 교육

[자료 출처 : 한국과학창의재단]

융합인재교육은 과학기술공학과 관련된 다양한 분야의 융합적 지식, 과정, 본성에 대한 흥미와 이해를 높여 창의적이고 종합적으로 문제를 해결할 수 있는 융합적 소양(STEAM Literacy)을 갖춘 인재를 양성하는 교육이라고 정의하고 있다. 학습자가 실제 문제 상황을 다양하게 설계하고 해결하는 과정을 통해 새로운 개념을 생성하고, 창의적으로 설계하며, 더불어 사는 인성, 즉 사회적 감성을 발달하도록 하는 것이다.
이러한 융합인재교육(STEAM)의 목적은 다음과 같이 정리할 수 있다.

※ 빠르게 변화하는 사회 변화의 적응력을 높이는 것이다.
　※ 개인의 창의 인성, 지성과 감성의 균형 있는 발달을 돕는 것이다.
　　※ 타인을 배려하고 협력하며, 소통하는 능력을 함양하는 것이다.
　　　※ 과학 효능감과 자신감, 과학에 대한 흥미 등을 증진시킴으로써 과학 학습에 대한 동기 유발을 높이는 것이다.
　　　　※ 융합적 지식 및 과정의 중요성을 인식시키는 것이다.
　　　　　※ 학습자 중심의 수평적 융합적 교육으로 전환하는 것이다.
　　　　　　※ 합리적이고 다양성을 인정하는 문화 형성에 기여하는 것이다.
　　　　　　　※ 대중의 과학화를 기반으로 한 합리적인 사회를 구성하는 데 기여하는 것이다.
　　　　　　　　※ 창조적 협력 인재를 양성하는 것이다.
　　　　　　　　　※ 수학, 과학, 기술, 공학 간 상호 연계성 고려, 학문 간 공통 핵심 요소 중심으로 교육
　　　　　　　　　　※ 예술적 소양을 함양하고 타 학문에 대한 이해가 깊은 미래형 인재 양성으로 교육

# 안쌤의 줄기과학 시리즈

새 교육과정
3~4학년
학기별
STEAM 과학

3-1 **8강**   3-2 **8강**          4-1 **8강**   4-2 **8강**

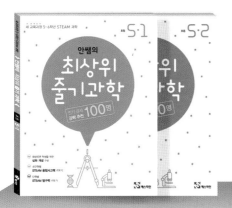

새 교육과정
5~6학년
학기별
STEAM 과학

5-1 **8강**   5-2 **8강**          6-1 **8강**   6-2 **8강**

새 교육과정
중등 영역별
STEAM 과학

**물리학 24강**   **화학 16강**   **생명과학 16강**   **지구과학 16강**       **물리학 워크북**       **화학 워크북**

# 안쌤이 추천하는
# 영재교육원 대비 3,4학년 로드맵

## STEP
### 개념+창의력

안쌤의 최상위 초등 줄기과학 시리즈 | 학기별 8강, 총 32강

## STEP
### 문제해결력

안쌤의 창의적 문제해결력 시리즈 | 수학 8강, 과학 8강

## STEP
### 실전테스트

안쌤의 창의적 문제해결력 시리즈 | 과학 50제, 수학 50제, 모의고사 4회

# 안쌤의
# 창의적 문제해결력 시리즈

**초등 1~2 학년**

**초등 3~4 학년**

**초등 5~6 학년**

**중등 1~2 학년**

# 안쌤의
# 줄기과학 시리즈

새 교육과정
3~4학년
학기별
STEAM 과학

3-1 **8강**   3-2 **8강**         4-1 **8강**   4-2 **8강**

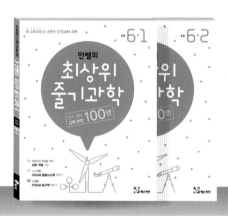

새 교육과정
5~6학년
학기별
STEAM 과학

5-1 **8강**   5-2 **8강**         6-1 **8강**   6-2 **8강**

새 교육과정
중등 영역별
STEAM 과학

**물리학 24강**   **화학 16강**   **생명과학 16강**   **지구과학 16강**      **물리학 워크북**      **화학 워크북**

새 교육과정 3~4학년 STEAM 과학

초등 3·2

# 안쌤의
# 최상위
# 줄기과학

인기 강사
강력 추천 **100**명

정답 및
해설

- 최상위권 학생을 위한
  **심화 개념** 구성
- 소단원별
  **STEAM 융합사고력** 키우기
- 단원별
  **STEAM 탐구력** 키우기

**매스티안**

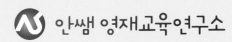

# 안쌤 영재교육연구소

상위 1%가 되는 길로 안내하는 이정표로,
학생들이 꿈을 이루어갈 수 있도록 콘텐츠 개발과 강의 연구를 하고 있다.

**안쌤 영재교육연구소**

안재범, 최은화, 유나영, 이상호, 추진희, 오아린, 허재이, 이민숙, 이나연, 김혜진, 김샛별

**검수**

강미라, 김애리, 김종욱, 서동진, 윤영진, 전익찬, 정회은, 최현규

**인기 강사 100명 강력 추천**

강도연, 강미라, 강옥주, 강은영, 강혜정, 고려욱, 곽미영, 김민정, 김보란, 김순정, 김연지, 김영준, 김은선, 김은희, 김정숙, 김정아, 김정애, 김종욱, 김주석, 김형진, 김효선, 노형섭, 문희정, 박노섭, 박선미, 박세언, 박애자, 박우용, 박윤하, 박정연, 박지은, 박진국, 박하나, 박헌진, 배정인, 배혜정, 백광열, 백지연, 변애나, 복주리, 서동진, 서유경, 서윤정, 소선영, 신규숙, 신상희, 신석화, 신현주, 안진희, 엄정연, 염경화, 오고운, 옥정화, 유나영, 유영란, 윤민혜, 윤소희, 윤순주, 이강윤, 이동림, 이미정, 이선영, 이연주, 이영주, 이영훈, 이윤정, 이은덕, 이지영, 이진경, 이혜림, 임선화, 장수진, 장윤희, 장치은, 전익찬, 전진홍, 정동훈, 정보혜, 정수일, 정영숙, 정재은, 정희현, 조영부, 조은실, 조정숙, 지다인, 차규상, 채진희, 최성덕, 최용덕, 최진영, 하영진, 한승철, 한정희, 한지연, 홍금자, 홍영주, 홍정연, 황병문, 황보혜정

# 정답 및 해설

# 정답 및 해설

## I 동물의 생활

### 🌱 01 주변의 동물

**01** ③　　**02** ①　　**03** ④　　**04** ②　　**05** ④
**06** ②　　**07** ①, ④　**08** ④　　**09** ④　　**10** ①

**01** 우리 주변에서 볼 수 있는 동물 중 화단에 피어 있는 꽃 주변에서 살고 있는 동물은 지렁이, 공벌레, 개미, 집게벌레, 거미 등이 있다.

**02** 주변에서 동물을 찾을 수 있는 곳은 학교, 집 주변, 집 안 등 거의 모든 곳에서 찾을 수 있다. 하지만 냉장고 속은 생물이 살기 적합하지 않기 때문에 동물을 찾을 수 없다.

**03** 개구리는 물웅덩이 주변에서 볼 수 있으며 앞다리에 비해 뒷다리가 길어 뒷다리를 땅에 딛고 뛰어올라 이동한다.

**04** 사진 속 동물은 달팽이로 딱딱한 껍데기로 된 집이 있다. 달팽이는 화단에서 관찰할 수 있으며, 미끄러지듯이 움직인다.

**05** 동물들을 평소에 잘 볼 수 없는 이유는 개미, 파리, 벌 등 많은 동물들의 크기가 너무 작기 때문이고, 돌이나 땅속, 잎 뒷면 등에 있어 관찰하기 힘들기 때문이다. 또한 야행성 동물은 낮에 안전한 곳에서 쉬고 주로 밤에 활동하기 때문에 평소에 동물들을 잘 볼 수 없다.

**06** ㉢ 고양이, 개구리 등과 같이 다리가 네 개이다.
㉣ 팔에 날개막이 있는 동물은 하늘다람쥐이다.

**07** ① 나비는 더듬이가 길고, 잠자리는 짧다.
④ 나비는 입이 긴 대롱 모양이고, 잠자리는 이빨이 있어 씹을 수 있다.

**08** 사슴, 토끼, 소는 식물을 먹고 사는 초식 동물이고, 사자, 상어, 뱀은 다른 동물을 잡아먹고 사는 육식 동물이다.

**09** 동물을 분류할 수 있는 기준은 사는 곳, 먹이의 종류, 다리의 개수, 날개의 유무, 몸의 크기, 몸 표면의 특징, 숨 쉬는 방법 등이 있다.

**10** 더듬이가 있는 동물은 개미, 나비, 잠자리, 벌, 공벌레, 달팽이, 소금쟁이 등이 있고, 더듬이가 없는 동물은 참새, 직박구리, 거미, 다람쥐, 고양이, 붕어, 개구리, 뱀, 박쥐 등이 있다.

**01** **모범답안** (가) 동물들은 다리가 없고, (나) 동물들은 다리가 있다.
**해설** (가) 동물은 시계 방향으로 뱀, 불가사리, 돌고래이고, (나) 동물은 시계 방향으로 오징어, 호랑이, 게이다.

**02** **모범답안** 각각의 특징을 쉽게 알 수 있고, 생물 사이의 관계와 진화 과정(계통)을 알 수 있다.
**해설** 모든 생물들은 서로 관계를 맺으며 살아가므로 생물들을 체계적으로 분류하여 생물 사이의 관계를 정리하고, 생물 사이의 관계를 정리하는 과정을 통해 생물의 진화 과정을 알게 되었다. 따라서 과학자들은 생물에 통일된 이름을 부여하고 비슷한 생물끼리 분류하게 되었다.

**03** **모범답안**
• 공통점 : 눈이 둥글고 튀어 나와 있으며 물 속에 있을 때 눈과 코의 위치가 거의 나란하다.
• 좋은 점 : 코가 물 밖으로 나와 있어 물속에서도 숨을 쉴 수 있고, 눈이 물 밖으로 나와 있어 물 밖의 모습을 볼 수 있다.
**해설** 개구리는 논이나 연못 주변의 풀밭에서 살고, 하마는 아프리카의 호수나 늪지대에서 산다. 개구리와 하마의 이러한 모습은 물에서 살기에 알맞다.

**04** **모범답안**
• 부리의 모양이 서로 다른 이유 : 먹이의 종류와 먹이를 잡는 방법이 다르기 때문이다.
• 각 부리의 장점
－매 : 튼튼하고 끝이 갈고리처럼 휘어져 고기를 찢기에 알맞다.
－콩새 : 튼튼하고 짧아서 나무의 씨앗이나 열매를 먹기에 알맞다.

－청둥오리 : 넓적한 모양으로 가장자리에 빗살 모양이 있어서 물속에 있는 먹이를 걸러 먹기에 알맞다.

－왜가리 : 가늘고 길어서 물속에 머리를 넣지 않고도 물속의 먹이를 잡아먹을 수 있다.

## 융합사고력 키우기　　　　16~17쪽

**01** [모범답안] 온몸이 투명하여 혈관 구조를 관찰하기 좋다.
[해설] 제브라피시는 온몸이 투명하기 때문에 혈관 구조를 관찰하기 용이하다.

**02** [모범답안]
- 온몸이 투명하여 관찰하기 편하다.
- 체외수정으로 한 번에 많은 알을 낳는다.
- 성체의 크기가 작아 좁은 공간에 대량으로 사육할 수 있어 유지비용이 적게 든다.
- 수정 후 24시간 내에 대부분 주요 장기와 기관이 형성되어 연구 속도가 빠르다.

[해설] 제브라피시는 사람과 유전자가 90 % 정도가 같아 사람과 비슷한 유전체의 기능을 연구할 수 있다. 한약연구본부는 실험동물로 원래 쥐를 이용했는데, 마리당 70만 원 정도로 비싸서 제브라피시를 활용하기 시작했다. 제브라피시로 여러 신약 후보물질을 먼저 검증한 뒤 다른 실험 동물로 확인하면 비용은 줄이고 정확도와 효율은 높일 수 있다.

**03** [모범답안]
- 투명하므로 뇌 속의 뉴런이 어떻게 움직이는지 연구한다.
- 투명하므로 심장을 제거하고 상처 부위에 줄기 세포를 연결하여 심장이 재생되는 과정을 연구한다.
- 투명하므로 뼈 생성에 중요한 역할을 하는 레티놀을 주입해 뼈가 생성되는 과정을 연구한다.
- 수정 후 24시간 내에 주요 기관이 형성되므로 신약 검증이나 질병 원인을 밝히는 연구를 한다.

[해설] 제브라피시는 신약 후보 물질 발굴은 물론이고 암과 간질, 골다공증, 비만, 이명 등의 질병 원인을 밝히는 등 다양하게 쓰이고 있다. 제브라피시는 초기 세포분열이 15분 간격으로 진행되며, 수정 후 24시간이 지나면 대부분 주요 기관이 형성된다. 간, 췌장, 지라, 흉선 등 면역계 대부분의 기관이 있고, 돌연변이 연구에서 나온 여러 결과가 인간의 유

전질환과 매우 유사하다. 제브라피시는 투명한 몸 덕분에 뇌 속의 뉴런이 어떻게 움직이는지 관찰할 수 있어 신경과학 분야에서도 각광 받고 있다. 실제로 '네이처'와 '커런트 바이올로지'에 살아 있는 제브라피시의 뇌 속을 들여다보는 방법이 실려 화제가 됐다. 미국 하버드대 연구팀은 물이 담긴 배양접시에 마비된 제브라피시를 올리고 뇌를 촬영하는 장치를 만들었다. 배양접시 아래에서 빛을 쏘아 배경을 바꾸면 제브라피시가 헤엄치듯 꼬리를 움직이는데, 이때 뉴런이 어떻게 활성화되는지 볼 수 있다는 것이다. 일본 국립유전학연구소 연구팀도 제브라피시 치어에 GCaMP라는 유전자를 주입해 뉴런을 반짝이게 만든 뒤, 짚신벌레를 잡아먹을 때 제브라피시의 뇌를 촬영했다. 우리나라 로봇공학 연구팀에서는 제브라피시의 뇌파를 정밀하게 측정하는 기술을 세계 최초로 개발했다. 제브라피시는 뇌 활동을 세포 수준에서 실시간으로 관찰할 수 있어서 뇌전증 같은 뇌 신경계 질환 치료용 신약 개발 연구에 활용할 수 있을 것으로 기대한다.

## 🌱 02 사는 곳에 따른 동물의 생활

### 개념 기르기　　　　22~23쪽

**01** ①　**02** ④　**03** ④　**04** ⑤　**05** ③
**06** ③　**07** ④　**08** ①　**09** ②　**10** ①, ②

**01** ㉠ 땅은 식물 등 먹이를 제공하고 집을 지을 장소와 재료를 제공한다.
ㄴ 육지는 물속에 비하여 온도 변화가 크다.
ㄷ 물속에서 깊은 곳으로 들어갈수록 압력이 높아지고 빛이 적게 들어온다.

**02** ① 새끼를 낳거나 알을 낳는다.
② 두더지, 땅강아지, 지렁이 등은 땅속에서 산다.
③ 땅에 사는 동물은 초식 동물도 있고 육식 동물과 잡식 동물도 있다.
⑤ 유선형의 몸과 아가미는 물에 사는 동물의 특징이다.

**03** 더듬이가 여러 개의 마디로 되어 있는 것을 관찰하려면 루페나 돋보기 등을 사용하여 공벌레의 모습을 확대해서 관찰해야

한다.

**04** ①, ② 전복과 오징어는 바닷물 속에 산다.
③ 수달은 강과 호수의 물가에 산다.
④ 납자루는 강과 호수의 물속에 산다.
⑤ 바닷가 갯벌에 사는 동물은 조개, 게, 망둑어, 갯지렁이, 도요새 등이 있다.

**05** 물가에 살고 있는 동물은 왜가리, 해오라기, 도요새, 수달, 물개, 개구리 등이 있다. 물가에서는 물을 구하기 쉽고 원하는 먹이를 쉽게 잡을 수 있다.

**06** ③ 몸이 머리, 가슴, 배로 구분되는 것은 곤충의 특징이다. 붕어는 머리, 몸통, 꼬리로 이루어져 있다.

**07** 피부가 변한 넓은 날개를 가지고 있는 것은 나비로 새의 특징이 아니다. 새는 날개가 있고, 날개를 움직일 수 있는 큰 가슴 근육을 가지고 있다.

**08** ② 새는 날개가 있고 하늘다람쥐는 날개막이 있다.
③ 새는 부리가 있고 하늘다람쥐는 이빨이 있다.
④ 새는 꼬리가 없고 하늘다람쥐는 긴 꼬리가 있다.
⑤ 새는 크기에 비하여 몸이 가볍지만, 하늘다람쥐는 크기에 비하여 몸이 무겁다.

**09** 낙타는 등에 혹이 있기 때문에 물과 먹이가 부족할 때에 에너지로 이용할 수 있다.

**10** ③ 설피는 낙타 발을 모방하여 만든 것으로 모래밭이나 눈밭에서 발이 빠지지 않게 한다.
④ 물갈퀴는 오리발을 모방한 것으로 물에서 헤엄치기 쉽다. 로봇 애벌레는 애벌레를 모방한 것으로 좁은 틈을 이동하기 쉬우므로 붕괴된 건물이나 잔해 속에 파고 들어가 구조 작업을 한다.

## 서술형으로 다지기
24~25쪽

**01** 모범답안
• 점액이 가장 많이 분비되는 날씨 : 덥고 건조한 날
• 이유 : 덥고 건조하면 달팽이 몸의 수분이 잘 증발되기 때문에 증발을 막기 위해 점액 분비가 많아진다.

해설 덥고 건조한 날에는 달팽이가 더 많은 점액을 분비하고, 껍데기 속으로 들어가 입구를 막거나 흙 속이나 바위 틈 속에 들어가 수분이 증발하는 것을 막는다. 느리게 이동하는 달팽이는 이동하면서 바닥으로부터 상처가 나는 것을 방지하거나, 상처를 빨리 치유하기 위해 배 부분에서 점액을 분비한다. 점액은 달팽이를 보호하기도 하므로 달팽이는 면도날 위도 기어갈 수 있다. 머리에는 늘었다 줄었다 하는 뿔처럼 생긴 두 쌍의 촉각이 있고 그 끝에는 시력은 없으나 명암을 판별하는 눈이 있다. 알을 낳아서 번식하며, 외부 온도에 따라 체온이 바뀌기 때문에 겨울에는 잠을 잔다. 피부 호흡을 하기 좋은 때인 습도가 높은 날이나 밤에 나무나 풀 위에 기어올라가 치설이라고 부르는 입으로 세균, 식물의 어린잎, 채소 등을 갉아먹는다. 천적으로는 곤봉딱정벌레, 꽃개똥벌레, 늦반딧불이의 유충, 들새, 뱀, 쥐, 개구리 등이 있다.

**02** 모범답안
• 피하지방이 많다.
• 밖으로 돌출된 부분이 적다.
• 다리가 짧고 굵다.
• 몸에 굵은 깃털이 빽빽히 나 있다.

해설 추운 지방에 사는 생물은 비교적 큰 몸집을 가지고 있다. 몸집이 커지면 표면적이 상대적으로 작아지기 때문에 외부로 빼앗기는 열이 줄어들어 체온을 유지하는 데 더 유리하다. 황제펭귄은 지구상에 생존하는 모든 펭귄들 중에서 가장 키가 크고 체중이 많이 나가는 종으로 남극에서만 서식한다. 주식은 물고기이며, 사냥할 때 최대 수심 535 m까지 내려가며, 물속에서 18분까지 버틸 수 있다. 황제펭귄의 헤모글로빈은 낮은 산소 농도에서도 산소를 운반하며, 단단한 골격은 큰 수압을 견딜 수 있다. 황제펭귄은 차가운 물속에서 활동하면서 물질대사 속도를 낮추거나, 중요하지 않은 신체 기관의 기능을 정지시킬 수 있다. 추운 겨울에 얼음 위에서 체온을 보존하기 위해 발에는 동맥과 정맥이 열을 교환하는 구조로 되어 있다.

**03** 모범답안 새의 몸통처럼 유선형으로 만들면 공기 저항을 줄여 연료비와 이동 시간을 절약할 수 있다.

해설 유선형은 물이나 공기와 같은 유체에서 저항이 가장 작은 모양으로, 새의 몸통, 물고기의 몸통, 비행기의 몸체와

날개, 잠수정, 고속열차 등이 유선형이다. 물과 같은 액체나 공기와 같은 기체 속에서의 저항을 최소로 하기 위해 앞부분은 곡선으로 하고 뒤로 갈수록 날렵해지는 형태를 기본으로 한다. 물고기나 비행기 몸체는 유선형이므로 기체나 액체를 표면을 따라 흘려보내고 소용돌이를 일으키는 경우가 적으므로 저항이 작아진다.

**04** 모범답안

• 북극 여우는 눈이 많은 곳에서 살기 때문에 털색이 흰색이면 적의 눈에 잘 띄지 않고, 귀가 작아서 열을 잘 방출하지 않기 때문에 체온을 유지할 수 있다.

• 사막 여우는 모래로 덮힌 사막에서 살기 때문에 털색이 누런색이면 적의 눈에 잘 띄지 않고, 귀가 커서 열을 잘 방출할 수 있기 때문에 체온이 올라가지 않아 좋다.

해설 동물은 적의 눈에 잘 띄지 않게 모습이나 몸의 색이 주위 환경과 비슷하게 변한다. 더운 사막에 사는 사막 여우는 열을 잘 방출하기 위해 귀가 크고, 누런색이며 야행성이다. 추운 북극에 사는 북극 여우는 열의 방출을 줄이기 위해 귀가 작고, 주둥이가 뭉툭하며 흰색을 띤다.

## 융합사고력 키우기
26~27쪽

**01** 모범답안 해저 열수공

해설 바다 깊은 곳에 위치하는 열수공은 해저 지각의 갈라진 틈에서 뿜어져 나오는 뜨거운 화학 물질이 함유된 열수가 나오는 지형이다. 열수공은 해저와 육지에 다 존재할 수 있지만, 해저 열수공은 1977년 처음으로 잠수정 알빈(Alvin)호에 의해 직접 탐사되기 전까지는 자세히 알 수 없었다.

**02** 모범답안 수압이 매우 높기 때문에 온도가 100 ℃ 이상이 되어도 물이 끓지 않고 액체 상태로 존재한다.

해설 과학자들은 지하 수천 미터의 높은 압력으로 인해 끓어오르지 못한 섭씨 수백도에 달하는 뜨거운 황 화합물이 함유된 해저 열수공 주위에서는 아무런 생명체도 살지 못할 것으로 예상했다. 그러나 실제 이를 직접 탐사했을 때 엄청난 수의 생명체를 발견했다. 해저 열수공 주위에는 해저 열수공에서 분출되는 메테인이나 황화 수소 등의 화합물을 분해하여 에너지로 살아가는 미생물이 번성하고 있고, 이 미생물을 기반으로 한 생태계가 형성되어 있다.

**03** 모범답안

• 어두운 환경에 의해 눈이 퇴화되었을 것이다.

• 높은 압력에서도 잘 견딜 수 있을 것이다.

• 몸보다 큰 입과 안쪽으로 휘어져 있는 날카로운 이빨을 가지고 있을 것이다.

해설 어두운 환경에 의해 눈이 퇴화되고, 몸 전체에 퍼져 있는 특수한 세포에 의해 빛을 내기도 한다. 이러한 발광으로 자신을 보호하거나 적을 위협하고, 먹이를 유인하거나 같은 종에게 자신을 알려 생식을 하기도 한다. 압력이 높은 심해에 사는 동물들은 수축이 잘 안 되는 수분을 상대적으로 많이 가지고 있어 높은 압력에서도 잘 견딜 수 있다. 심해는 먹이가 귀하므로 자신의 몸보다 더 큰 먹이를 발견했을 때 놓치지 않고 한 번에 삼키기 위해 큰 입과 안쪽으로 휘어져 있는 날카로운 이빨을 가지고 있다.

## 탐구력 기르기
28~29쪽

**01** 모범답안

① 앞으로 나아갈 때 : 꼬리지느러미를 좌우로 흔든다.

② 한 곳에 머물러 있을 때 : 양쪽 가슴지느러미를 펴고 흔든다.

③ 오른쪽으로 회전할 때 : 오른쪽 가슴지느러미를 편다.

④ 왼쪽으로 회전할 때 : 왼쪽 가슴 지느러미를 편다.

해설 등지느러미와 뒷지느러미는 좌우의 흔들림을 막아 몸의 평형을 유지한다. 가슴지느러미는 노의 역할, 후진이나 브레이크의 역할을 하며, 몸의 균형을 잡는 데도 사용된다. 꼬리지느러미를 흔들어 움직여서 앞으로 나아가는 힘을 얻는다.

**02** 모범답안 입으로 들어가서 아가미로 나온다.

해설 아가미가 닫히고 입이 열리면서 물과 먹이가 들어가고, 입이 닫히고 아가미가 열리면서 물만 나온다. 입으로 들어온 먹이는 금붕어의 위로 들어가고, 입으로 들어온 물은 아가미에서 물에 녹아 있는 산소가 흡수되고 밖으로 나온다.

**03** 모범답안 유선형은 물이나 공기 중에서 움직일 때 저항이 작다.

해설 공기 중에서도 물보다는 작기는 하지만 저항이 있다. 유선형은 물이나 공기를 곡선 모양을 따라 흘려보내므로 소용돌이를 일으키는 경우가 작아 저항이 작다.

▲ 유선형    ▲ 비유선형

**04** 모범답안 상어는 부레(공기주머니)가 없기 때문에 헤엄을 치지 않으면 가라앉는다.

해설 부레는 물고기가 물속에서 쉽게 움직일 수 있도록 해주고, 내부 공기의 양을 조절하여 위아래로 이동할 수 있도록 도와준다. 그러나 상어는 부레가 없으며, 가라앉지 않기 위해 간에 밀도가 작은 기름이 채워져 있고, 몸이 연골로 이루어져 덩치에 비해 전체 몸무게가 가벼운 편이다. 또한, 커다란 몸집에 비해 입이 작아서 마시는 물과 산소의 양이 작고, 다른 물고기와 달리 아가미가 제 역할을 하지 못하기 때문에 헤엄을 쳐서 계속해서 산소가 포함된 신선한 바닷물을 아가미로 흘려보내야만 살아 남을 수 있다.

# Ⅱ 지표의 변화

## 🌱 03 소중한 자원, 흙

| 개념 기르기 | | | | 36~37쪽 |
|---|---|---|---|---|
| **01** ⑤ | **02** ③ | **03** ① | **04** ② | **05** ③ |
| **06** ① | **07** ④ | **08** ⑤ | **09** ⑤ | **10** ② |

**01** 진흙이 많이 섞인 흙은 대체로 고운 알갱이가 많고, 모래가 많이 섞인 흙은 대체로 굵은 알갱이가 많고 반짝이는 것이 있다.

**02** 모래가 많이 섞인 흙, 직접 모은 흙, 진흙이 많이 섞인 흙을 각각 플라스틱 통에 담아 흙의 종류만 다르게 하고, 나머지 조건은 모두 같게 해주어야 한다.

**03** 모래가 많이 섞인 흙일수록 물 빠짐이 좋으므로 물이 빨리 빠져나오고, 진흙이 많이 섞인 흙일수록 물 빠짐이 좋지 않으므로 물이 느리게 빠져나온다.

**04** ① (나)가 (가)보다 부유물이 많은 것으로 보아 (가)는 운동장 흙, (나)는 화단 흙이다.
② (나)가 (가)보다 부유물이 더 많다.
③ (가)와 (나)에서 다르게 할 조건은 흙의 종류이다.
④ 나뭇가지, 잔뿌리, 나뭇잎 등은 (나)에서 볼 수 있다.
⑤ 화단 흙(나)에는 생물과 관련된 양분이 많고, 운동장 흙(가)에는 거의 없다.

**05** 운동장 흙보다 생물과 관련된 부유물이 많은 화단 흙에서 식물이 잘 자란다. 부유물은 썩으면 식물이 자라는 데 필요한 양분이 된다. 운동장 흙은 모래로 되어 있어 물 빠짐이 매우 좋지만, 화단 흙은 물 빠짐이 적당하여 식물에 수분을 잘 공급할 수 있다.

**06** ㉢ 얼음 설탕이 가루 설탕이 되는 것은 짧은 시간 동안 일어나고, 바위가 모래가 되는 것은 오랜 시간이 걸린다.
㉣ (가)와 (나) 모두 풍화 작용을 알아보기 위한 실험이다.

**07** 자갈을 플라스틱 통에 넣고 흔들면 날카로웠던 자갈의 끝이

뭉뚝해지고, 모양이 둥그렇게 변한다. 자갈의 크기는 작아지고, 자그마한 돌조각, 흙과 같은 작은 알갱이들이 생긴다.

**08** 풍화 작용은 바위가 부서져서 흙이 되는 것으로 알갱이가 점점 작아진다. 바위틈에 있던 물이 얼었다 녹았다를 반복하면서 바위의 틈을 벌려 바위가 부서진다.

**09** 풍화 작용은 오랜 시간에 걸쳐 바위나 돌이 햇빛, 공기, 물 등에 의하여 제자리에서 점차 부서지는 것을 말한다. 사막 지역에는 바람에 의해 아랫부분이 깎인 버섯 바위가 있고, 빙하에 의해 U자곡이 만들어지며 지하수에 의해 석회동굴이 만들어진다.

**10** 화학 비료는 흙의 성질을 변화시키기 때문에, 화학 비료 대신 음식물 쓰레기 등을 이용한 친환경 퇴비를 사용해야 흙을 보존할 수 있다.

## 서술형으로 다지기
38~39쪽

**01** **모범답안** 운동장 흙은 물 빠짐이 좋아 식물이 물을 잘 흡수하지 못하기 때문이다.
**해설** 물 빠짐이 좋은 운동장 흙은 식물이 물을 흡수하기 전에 물이 빠져버리기 때문에 물을 충분히 주더라도 식물이 물을 잘 흡수하지 못해 잘 살지 못한다. 식물을 키우려면 부유물이 많고 물 빠짐이 적당한 화단 흙을 사용하는 것이 좋다.

**02** **모범답안** 운동장 흙은 단단해서 비가 와도 움푹 패인 곳이 덜 생기고, 물 빠짐이 좋기 때문에 질퍽거리지 않는다.
**해설** 흙의 성분과 알갱이의 크기, 포함되어 있는 성분에 따라 다양한 목적으로 흙을 사용한다. 화단 흙은 식물이 자라는 데 적합한 흙, 운동장 흙은 운동하기 적합하게 질퍽거리지 않는 흙을 사용한 것이다.

**03** **모범답안** 큰 바위가 부서져 돌이 되고, 다시 돌이 부서져 모래나 흙이 되기 때문이다.
**해설** 풍화 작용은 오랜 시간에 걸쳐 바위나 돌이 햇빛, 공기, 물 등에 의하여 점차 부서지는 것이다. 큰 바위가 풍화 작용으로 점차 부서지면서 주변에 그 부스러기가 떨어졌기 때문에, 부스러기들은 큰 바위 주변의 모래, 흙 색깔과 비슷하다. 바

위나 돌이 풍화 작용을 받아 흙이 되기까지는 오랜 시간이 필요하다.

**04** **모범답안**
• 햇빛이 흙에 잘 닿지 않아 흙이 마르지 않고 촉촉하게 유지된다.
• 나무에서 떨어진 나뭇잎이 썩어 부식물이 많은 좋은 흙이 된다.
• 빗물이 직접 흙에 닿지 않아 땅이 패이지 않는다.
**해설** 흙은 큰 돌이 풍화 작용에 의해 작은 알갱이로 부서진 것으로, 알갱이 사이에 공기나 물이 들어 있다. 흙 알갱이 사이에 식물의 뿌리가 뻗어나오면서 물과 양분을 흡수하여 식물이 자란다.

## 융합사고력 키우기
40~41쪽

**01** **모범답안** 풍화
**해설** 뿌리가 자라면서 주위 암석에 가하는 압력은 암석에 스며든 물이 얼 때보다는 약하다. 그러나 뿌리에 의한 풍화 작용은 암석의 표면적을 증가시키기 때문에 풍화 작용을 빠르게 한다.

**02** **모범답안**
• 주성분인 사암이 오랫동안 풍화되어 훼손되었다.
• 사원에 자란 스펑나무 뿌리가 암석을 풍화시켜 훼손되었다.
• 전쟁과 약탈자들에 의해 훼손되었다.
• 수많은 관광객들에 의해 훼손되었다.

**03** **모범답안**
• 타프롬 사원에 살고 있는 스펑나무에 성장 억제제를 주사하여 나무 뿌리가 자라지 않게 한다.
• 앙코르 관광지를 관람하는 관광객의 수를 제한한다.
• 앙코르 관광지 주위의 도시 개발을 계획적으로 한다.
• 앙코르 관광지 주위 도로를 건설하여 앙코르 유적지 안으로 출입하는 차량의 수를 줄인다.
**해설**
• 스펑나무는 수명이 400~800년으로, 유적지에 뿌리를 내리면서 사원을 서서히 무너뜨리고 있다. 그러나 스펑나무를 죽인다면 함께 지탱되고 있던 스펑나무 뿌리와 성벽이 무너

지게 되므로 최대한 천천히 자라도록 해야 한다.
• 최근에 앙코르 유적지 주위의 도시에 특급 호텔과 대형 식당이 많이 들어서면서 무분별하게 지하수를 사용하여 앙코르 유적지 일대의 지반이 가라앉고 있다.
• 한국도로공사가 만든 '시엠리아프 한국순환도로'로 인해 앙코르 유적지 주위에 차량이 분산되어 문화재 보호 효과를 높이고 있다.

## 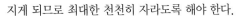 04 변화하는 땅

### 개념 기르기
46~47쪽

01 ①    02 ②    03 ①    04 ③    05 ⑤
06 ⑤    07 ③    08 ②    09 ④, ⑤

**01** ② 비가 오기 전과 후의 운동장 크기는 변하지 않는다.
③ 비가 온 후에는 빗물에 의해 운동장의 흙이 파여 있다.
④ 비가 오는 날 운동장에 흐르는 빗물에 의해 비가 오기 전과 후의 모습이 달라진다.
⑤ 비가 온 후에 운동장 중간중간에 움푹 파인 작은 웅덩이가 생긴다.

**02** ㉠ 하늘에서 내린 빗물을 거른 거름종이에는 걸러진 것이 거의 없다.
㉡ 하늘에서 내리는 비와 운동장에 흐르는 빗물만 다르게 하고, 나머지는 모두 같게 하여야 한다.
㉢ 땅에 놓고 빗물을 모을 때는 운동장 흙과 빗물이 함께 튀어 들어갈 수 있으므로 어느 정도 높이가 있는 비커에 모아야 한다.

**03** 물을 붓기 전에는 세모 모양으로 산과 비슷하다. 물을 부으면 윗부분의 흙이 깎여 내려와 아랫부분에 쌓이는 모습을 볼 수 있다. 따라서 흙 언덕의 높이는 점점 낮아진다.

**04** 흙 언덕의 모습을 많이 변화시킬 수 있는 방법은 흙 언덕의 기울기를 급하게 하거나 물을 한꺼번에 많이 흘려 보낸다. 또는 물을 세게 흘려 보내거나 흙의 종류와 크기를 다르게 한다. 이렇게 하면 물이 흙을 아랫부분까지 빨리 운반하여 흙 언덕이 빨리 허물어진다.

**05** 지표는 땅의 겉면으로 바위, 돌, 흙 등으로 되어 있다. 지표에 흐르는 물이 돌이나 흙을 깎아내고 옮기기 때문에 지표의 모습이 변화하게 된다.

**06** (가)는 강의 상류, (나)는 강의 중류, (다)는 강의 하류이다.
① 물의 양이 가장 많은 것은 강의 하류이다.
② (가)는 물길이 좁고, 경사가 급하다.
③ (다)는 물의 흐름이 가장 느리다.
④ 커다란 바위와 모난 돌은 (가)에서 많이 볼 수 있다.
⑤ 강의 상류, 중류, 하류에서는 침식, 퇴적 작용이 모두 일어나지만 강의 상류로 갈수록 침식 작용이 활발히 일어나고, 하류로 갈수록 퇴적 작용이 활발히 일어난다.

**07** (나)는 강의 중류이다.
① 강의 상류보다 물의 양이 많다.
② 강의 상류, 중류, 하류에서는 침식, 퇴적 작용이 모두 일어나지만 강의 상류로 갈수록 침식 작용이 활발히 일어나고, 하류로 갈수록 퇴적 작용이 활발히 일어난다.
④ 강의 상류에서는 큰 바위와 모난 돌을, 하류에서는 흙과 모래를 많이 볼 수 있다.
⑤ 물의 흐름은 강의 상류가 가장 빠르고, 강의 하류가 가장 느리다.

**08** 사진은 해식 동굴로 파도나 바닷물이 오랜 시간 동안 바닷가의 돌출된 부분을 깎아 내어 생긴 지형이다. 바닷가의 돌출된 부분에서 볼 수 있는 지형으로 파도가 세게 쳐서 육지가 깎여 나가는 침식 작용이 활발하게 일어난다.

**09** 모래 사장은 바닷가의 안쪽 부분에서 퇴적 작용이 활발하게 일어나 고운 흙이나 모래가 많이 쌓인 곳이다. 파도가 세지 않고 물살이 느려 주로 해수욕장으로 이용된다.

### 서술형으로 다지기
48~49쪽

**01** **모범답안** 굽어진 강의 바깥쪽은 물살이 빠르고 안쪽은 물살이 느리므로 A를 거쳐 C를 통해 움직여야 한다.
**해설** 하천은 시간이 지날수록 침식과 퇴적 작용에 의해 폭이 넓어지거나 곡류로 변하기도 한다. 하천의 바깥쪽은 침식이 계속 일어나 점점 지형이 깎이고, 안쪽은 흙이 쌓여 점점 튀

어나오므로 구불구불한 곡류로 변한다. 강의 바깥쪽은 침식 작용이 활발해 깊이가 깊고, 안쪽은 퇴적 작용이 활발해 깊이가 얕다.

**02** **모범답안** 곶에서는 파도가 세게 쳐서 침식 작용이 활발하고, 만에서는 파도가 세지 않아 고운 모래나 흙이 쌓이는 퇴적 작용이 활발하므로 오랜 시간이 지나면 직선 모양의 단조로운 해안선이 된다.
**해설** 우리나라의 서해안과 남해안은 해안선의 모양이 복잡하고, 동해안은 해안선의 모양이 단조로운 편이다. 서해안과 남해안도 오랜 세월이 지나면 침식 작용과 퇴적 작용에 의해 동해안와 같이 해안선이 단조로워질 것이다. 만에서는 퇴적 작용이 활발하여 모래 사장이 발달하고, 곶에서는 파도의 침식 작용이 활발하여 해식 절벽이나 해식 동굴 등을 볼 수 있다.

**03** **모범답안** 식물의 뿌리가 흙과 엉켜 붙어 있어 비가 와도 흙이 쓸려 내려가지 않기 때문이다.
**해설** 큰 비가 내리면 강, 땅, 도로 등 나무가 없는 곳은 흙이 잘 쓸려 내려가 지형이 변하지만, 잔디밭이나 나무가 많은 곳에서는 흙이 쓸려 내려가지 않아 지형이 크게 변하지 않는다.

**04** **모범답안** 지하수가 땅속의 석회암을 녹이면 석회동굴이 만들어지고, 석회암이 녹은 액체에서 물이 공기 중으로 날아가면 종유석, 석순, 석주가 생긴다.
**해설** 이산화 탄소를 많이 포함한 지하수(산성)가 석회암을 조금씩 녹이면 구멍이 생기고, 오랜 시간에 걸쳐 구멍이 커지면 석회동굴이 된다. 석회암의 주성분인 탄산 칼슘이 물과 이산화 탄소를 만나면 탄산수소 칼슘이 되면서 녹아 동굴이 만들어진다. 천장에서 탄산수소 칼슘 용액이 떨어지면서 이산화 탄소를 포함한 물이 공기 중으로 날아가면 다시 탄산 칼슘이 되고, 탄산 칼슘이 쌓여 종유석과 석순이 만들어진다. 종유석과 석순이 길어져 만나면 석주가 만들어진다.

## 융합사고력 키우기

50~51쪽

**01** **모범답안** 암각화
**해설** 암각화는 구석기 시대부터 그려진 것으로 나타나지만 가장 두드러진 것은 신석기 시대부터였고, 청동기 시대에 와서 가장 많이 제작되었다. 반구대 암각화는 선사시대의 신앙과 생활 모습을 생생하게 표현하였으며 주로 풍요로운 생산을 기원하는 주술적인 내용이 많다.

**02** **모범답안** 댐의 물이 암각화 쪽으로 흐르면서 암각화 표면을 침식시키기 때문이다.
**해설** 암각화가 새겨진 반구대의 암석은 진흙이 퇴적되어 만들어진 이암으로 물에 약하다. 모세관 현상과 대기 중 수분 흡착으로 암각화 표면이 항상 젖어 있는 상태이므로, 흐르는 물과 바람에 의한 풍화 작용이 더욱 활발히 진행되고 있다. 또한, 암각화 표면이 젖어있으면 지의류와 같은 생물에 의해 훼손되기도 한다.

**03** **모범답안**
• 사연댐의 수위를 낮게 조절하여 암각화가 잠기지 않도록 한다.
• 암각화 주위에 물막이 구조물을 설치하여 물에 젖지 않도록 한다.
• 제방을 쌓아 물길을 돌려 물에 잠기지 않도록 한다.
**해설** 울산의 식수원 확보를 위해 1962~1965년에 사연댐이 건설되어 현재는 비가 많이 오지 않는 갈수기 때는 암각화가 물 밖으로 드러나지만, 비가 많이 와 만수위가 되면 암각화가 조각된 부분이 물에 잠긴다. 암각화는 댐이 건설된 후, 1971년에 발견돼 국보로 지정되었다. 그러나 현재 자연적인 풍화 작용과 침수와 노출 반복으로 그림이 점점 흐릿해지고 있다. 반구대 암각화는 세계적으로 흔치 않은 음각 기법으로 새겨진 그림이고 학술적 가치가 있어 보존 방안을 마련하고 있지만 최적 방안을 아직 찾지 못했다. 문화재청은 사연댐의 수위를 낮추는 방안을 제시하고 있지만, 지자체는 식수원 부족을 이유로 반대하고 있다. 특수 소재를 이용하여 물막이 구조물(카이네틱 댐)을 만들어 암각화가 새겨진 암반이 물에 젖지 않게 하겠다는 방안이 제시되었지만, 이는 암벽 주위의 자연 훼손이 불가피하고 검증된 방법이 아니며, 물막이 구조물을 만들 경우 일부 학자들이나 특정한 사람들을 제외 하고는 암각화를 볼 수 없다는 의견이 있어 취소되었다. 암각화로부터 30 m 떨어진 곳에 길이 357 m, 높이 65 m의 제방을 쌓아 물길을 돌리면 암각화가 물에 잠기는 것과 물 부족을 모두 막을 수 있다. 그러나 이 방법은 암각화 주변 역사문화 경관이 훼손되며 유네스코 세계유산 등재도 불가능하다는 의견이 있어 고려 중이다.

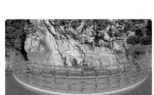

▲ 물막이 구조물

▲ 생태제방

## 탐구력 기르기

52～53쪽

**01** 모범답안

• 과정 ① : 초코볼이 서로 부딪쳐 가장자리가 부서지고 매끈해진다. 초코볼의 크기가 작아진다.

• 과정 ② : 초코볼이 물에 녹아 사라진다. 초코볼의 크기가 작아진다.

해설 풍화 작용에는 두 가지 종류가 있다. 과정 ①처럼 서로 부딪쳐 암석이 깨지고 점점 작아지는 현상을 기계적 풍화라 하고, 과정 ②처럼 녹아서 떨어져 나오는 것을 화학적 풍화라 한다.

**02** 모범답안 콩이 물을 흡수해 크기가 커지면서 석고가 갈라지고 깨진다.

해설 콩의 크기가 커진 것은 식물이 성장함을 의미한다. 식물이 성장하면서 부피가 커지면 암석의 약한 부분이 갈라지고 깨진다. 또한, 암석에 스며든 물이 추운 겨울에 얼면 부피가 커지게 되어 암석의 약한 부분이 갈라지기도 한다.

**03** 모범답안

① 암석이 서로 부딪쳐 깨져 작아진다.

② 암석이 물에 녹아 작아진다.

③ 식물이 자라면서 부피가 커져 암석을 깬다.

④ 암석에 스며든 물이 추운 겨울에 얼어서 부피가 커져 암석을 깬다.

해설 암석이 햇빛, 공기, 물 등에 의하여 점차 부서지는 현상을 풍화 작용이라고 한다.

**04** 모범답안 밤과 낮의 심한 온도 차이로 인해 바위가 깨져 작은 돌과 모래로 바뀐다.

해설 사막은 비는 오지 않고 태양이 뜨겁게 내리 쬐는 곳으로 식물이 살지 못하고 죽는다. 이로 인해 바위가 노출되고, 바람과 밤낮의 심한 온도 차이로 인해 바위가 깨지고 부서져서 알갱이 크기가 작은 모래가 된다.

## Ⅲ 물질의 상태

### 🌱 05 물질의 세 가지 상태

## 개념 기르기

60～61쪽

| | | | | |
|---|---|---|---|---|
| **01** ② | **02** ④, ⑤ | **03** ⑤ | **04** ① | **05** ② |
| **06** ② | **07** ④ | **08** ④, ⑤ | **09** ④ | **10** ③, ⑤ |

**01** 흔들면 출렁거리는 것은 물(액체)이다. 물은 모양이 일정하지 않고 눈에 보인다. 또한 손으로 잡으면 흘러내리고 손을 적신다.

**02** ① 물과 공기 모두 투명하여 색깔이 없다.

② 물과 공기는 손으로 잡을 수 없다.

③ 물과 공기 모두 담는 그릇에 따라 모양이 변한다.

**03** 고체는 일정한 모양과 크기를 가지고 있는 물질의 상태로 나무, 철, 플라스틱 등이 있다. 고체는 담는 그릇이 바뀌어도 모양과 크기가 변하지 않는다.

**04** 담는 그릇이 달라져도 모양과 크기가 변하지 않는 물질의 상태를 고체라고 한다. 우리 주변에서 볼 수 있는 대부분의 물체는 고체 물질로 이루어져 있다.

**05** 담는 그릇에 따라 가루 전체의 모양은 변하지만, 알갱이 하나하나의 모양은 변하지 않기 때문에 가루 물질은 고체이다.

**06** 물의 모양은 담는 그릇의 모양에 따라 변하고, 그릇의 모양과 같다. 물을 여러 가지 모양의 그릇에 옮겨도 처음에 사용한 그릇에 넣었던 물과 같은 높이이므로 물의 양은 변하지 않는다.

**07** 간장, 우유, 주스, 사이다는 담는 그릇에 따라 모양은 변하지만, 양은 변하지 않는 액체이다. 헬륨은 담는 그릇에 따라 모양이 변하고 담긴 그릇을 항상 가득 채우는 기체이다.

**08** ① 액체는 담는 그릇에 따라 모양이 변한다.

② 액체는 눈으로 볼 수 있다.

③ 액체는 담는 그릇이 달라져도 액체의 양은 변하지 않는다.

**09** 공기는 눈으로 볼 수 없고 손으로 잡을 수도 없다. 따라서 풍선이 터지면 풍선 속의 공기는 풍선 밖의 공기와 합쳐지지만 합쳐지는 것을 볼 수는 없다.

**10** ① 얼음－고체, 공기－기체, 철－고체
② 나무－고체, 식초－액체, 우유－액체
③ 식용유, 간장, 주스－ 액체
④ 꿀－액체, 가죽－고체, 플라스틱－고체
⑤ 헬륨, 이산화 탄소, 산소－기체

## 서술형으로 다지기 62～63쪽

**01** 모범답안
- 고체나 액체는 담는 그릇에 따라 부피가 변하지 않으므로 아트 풍선을 만들기 어렵다.
- 고체나 액체는 힘을 가할 때 부피가 줄어들지 않으므로 비틀거나 꼬면 풍선이 터진다.
- 모래와 물은 공기보다 무거워서 꽃이나 동물을 만드는 데 힘이 많이 든다.

해설 풍선에 들어 있는 공기는 기체 상태이며, 기체는 적은 힘으로도 부피가 쉽게 변하기 때문에 자유자재로 풍선을 꼬거나 비틀 수 있다. 아트 풍선을 만들 때 이용한 기체 상태의 특징은 기체가 공간을 차지하지만 일정한 모양이 없으며, 담는 그릇에 따라 모양이 달라지는 점이다.

**02** 모범답안 가루 설탕 알갱이의 모양은 어느 그릇에 담아도 변함이 없으므로 가루 설탕은 고체이다.

해설 설탕 알갱이의 크기가 작아서 그릇 모양으로 보일 뿐, 돋보기를 이용하여 관찰하면 알갱이 하나하나의 모양이 변하지 않으므로 가루 설탕도 고체이다. 액체인 물을 식탁 위에 쏟으면 흘러서 퍼지지만, 고체인 가루 설탕은 흘러내리지 않고 산처럼 쌓인다.

**03** 모범답안
- 고무풍선이나 튜브에 바람을 넣으면 부풀어 오른다.
- 깃발이나 나뭇잎이 바람에 흔들리는 모습을 볼 수 있다.
- 부채를 부치면 얼굴에 바람을 느낄 수 있다.

해설 바람은 공기가 밀한 곳(고기압)에서 공기가 소한 곳(저기압)으로 이동하는 현상이다. 공기는 눈에 보이지 않고 손으로 잡을 수 없기 때문에 항상 우리 주위에 있어도 잘 느낄 수 없다. 하지만 바람이 불면 공기가 있는 것을 느낄 수 있다.

**04** 모범답안 물질의 상태는 상온에서의 상태를 말하기 때문에 물은 액체, 철은 고체이다.

해설 상온은 약 25 ℃ 정도의 온도이다. 물은 상온에서 액체 상태, 철은 상온에서 고체 상태이기 때문에 일반적으로 물은 액체, 철은 고체라고 한다. 철은 녹는점 1,538 ℃, 끓는점 2,862 ℃이며, 녹는점과 끓는점 사이에서는 액체 상태, 끓는점 이상 온도에서는 기체 상태로 존재한다.

## 융합사고력 키우기 64～65쪽

**01** 모범답안 과냉각 액체 상태

해설 물고체와 액체의 성질을 모두 가지며, 흐르는 성질이 적은 고체의 성질을 가진 액체이다.

**02** 모범답안
- 유리를 이루는 알갱이의 배열이 불규칙하므로 고체가 아니다.
- 유리는 물처럼 흐르는 성질이 없으므로 액체가 아니다.

해설 액체 상태를 어는점 이하로 빠르게 냉각시키면 물질을 구성하는 알갱이가 고체 상태의 구조로 변하지 못한 채 바로 굳어 알갱이 구조는 액체 상태이지만 겉으로 보았을 때는 고체 상태로 보인다.

**03** 모범답안 유리가 점점 아래로 흘러내렸기 때문이다.

해설 유리는 열을 가하지 않은 실온의 온도에서도 아주 느리게 흐르고 있다. 이런 현상을 저온유동이라고 한다. 하지만 유리는 매우 끈적한 액체라서 눈에 띌 정도로 흘러내린 것을 보려면 몇백 년 정도 시간이 지나야 한다.

# 🌱 06 기체의 부피와 무게

**01** 바닥에 구멍이 뚫리지 않은 플라스틱 컵을 뒤집은 상태로 물 안에 넣으면, 컵 안에 공기가 가득 차 있어서 컵 안으로 물이 들어가지 못하므로 압축 물휴지가 젖지 않고 수조의 물 높이가 높아진다.

**02** 바닥에 구멍이 뚫린 플라스틱 컵을 뒤집은 상태로 물 안에 넣으면, 컵 안의 공기가 빠져나가고 그 빈 공간을 물이 채우기 때문에 압축 물휴지가 젖어 길어지고 수조의 물 높이는 변화가 없다.

**03** 바닥에 구멍이 뚫리지 않은 플라스틱 컵 안의 공기가 공간을 차지하여 물이 플라스틱 컵 안으로 들어오지 못하고, 바닥에 구멍이 뚫린 플라스틱 컵은 컵 안의 공기가 구멍으로 빠져나가 플라스틱 컵 안에 물이 가득 찬다.

**04** 물렁물렁한 축구공보다 팽팽한 축구공이 기체가 더 많이 들어 있다.

**05** 압축 팩 속에 이불을 넣어 진공청소기로 공기를 빨아들이면 이불의 부피가 줄어들어서 좁은 공간에 효과적으로 보관할 수 있다. 압축 팩은 기체를 일정한 공간에 넣는 것이 아니라 일정한 공간 속에 있는 기체를 빼내는 것이다.

**06** ㉠ 수족관 밖의 공기가 수족관 안의 물속으로 이동한다.
㉡ 입 안의 공기가 비눗방울 안으로 이동한다.
㉢ 부채나 선풍기로 공기를 이동시켜 바람을 발생시킨다.

**07** 피스톤 A를 밀면 반대쪽 피스톤 B가 올라가고, 피스톤 A를 잡아당기면 반대쪽 피스톤 B가 내려간다. 피스톤 A를 밀거나 잡아당기면 주사기와 비닐 관 속의 공기가 이동하기 때문에 반대쪽 피스톤 B가 움직인다.

**08** 산바람은 기체 상태이고, 나머지는 모두 고체 상태이다.

**09** 압축 마개를 사용하여 페트병에 공기를 많이 넣을수록 압축 마개를 끼운 페트병의 무게가 처음보다 무거워진다. 이것은 공기가 무게를 가지고 있기 때문이다.

**10** 고체는 손으로 잡을 수 있고, 액체는 담는 그릇에 따라 모양이 변하지만, 양은 변하지 않는다. 기체는 담는 그릇에 따라 모양이 변하고, 담긴 그릇을 항상 고르게 가득 채운다.

**11** 공기는 무게가 있고 부피를 차지하므로, 고무보트에 공기를 넣지 않으면 무게가 가벼워지고 부피도 줄어든다. 따라서 편리하게 운반할 수 있다.

**01** **모범답안** 바퀴 속에는 모양을 일정하게 유지하고 닿을 때 충격을 줄여주는 공기가 들어 있다.
**해설** 공기는 지구를 둘러 싼 여러 가지 성분의 기체가 모여 있는 것이다. 공기의 99 % 이상은 질소와 산소로 이루어져 있으며, 아르곤, 이산화 탄소, 네온, 헬륨, 수소, 메테인 등으로 이루어져 있다. 공기는 공간을 고르게 채우는 성질이 있기 때문에 바퀴에 넣으면 모양이 일정하게 유지된다. 또한, 힘을 받았을 때 부피가 쉽게 줄어들기 때문에 충격을 완화해 주는 역할을 한다.

**02** **모범답안** 광고 풍선 아래쪽에 송풍기가 공기를 계속 공급하고 세기를 조절하기 때문이다.
**해설** 송풍기에서 공기를 공급하기 때문에 일정한 모양을 유지할 수 있다.

**03** **모범답안** 질소는 매우 안정한 상태의 기체이므로 과자와 반응하지 않기 때문이다.
**해설** 질소는 공기의 78 %를 차지하고 있으며 안정한 화합물로 상온에서는 반응성이 크지 않다. 기체 상태의 질소는 독성이 없고 인화성도 없지만, 생명을 유지하는 데는 도움이 되지 않으므로 환기가 잘 되는 환경에서 보관하고 사용해야 한다. 잠수부나 해녀가 깊은 곳에 잠수할 경우 호흡을 통해 들어온 질소가 혈액에 녹아 있다가 수면으로 가까이 올라오면 기포가

되어 혈액 안에서 돌아다니는 잠수병이 생길 수 있다.

**04** 모범답안 삼각 플라스크의 공기가 비커로 모두 이동하므로 비커에는 공기가 가득 차고 삼각 플라스크에는 물이 가득 찬다.

해설 삼각 플라스크와 비커의 부피가 같기 때문에 삼각 플라스크에 들어 있는 공기가 비커로 모두 빠져나가면 비커는 공기로 가득 차고 삼각 플라스크는 물로 가득 찬다. 공기는 삼각 플라스크에서 비커로 움직인다.

## 융합사고력 키우기　　　　　74~75쪽

**01** 모범답안 헬륨

해설 헬륨은 분자량이 4이고 공기의 분자량은 29이므로, 공기보다 헬륨이 약 7배 가볍다.

**02** 모범답안 쇳덩어리를 녹인 후 공기를 넣어 솜뭉치와 같은 부피이면서 1 kg이 되도록 만든다.

해설 솜뭉치를 쇳덩어리와 같은 부피로 압축해서 1 kg이 되도록 만드는 방법은 답이 될 수 없다. 솜을 압축해서 쇳덩어리와 같은 부피로 만든다고 하더라도 쇳덩어리와 같은 무게가 될 수 없기 때문이다.

**03** 모범답안 부피가 큰 사각기둥 모양이 공기의 부력을 더 크게 받기 때문에 더 가벼울 것이다.

해설 국제도량형총국에서 진공에서 질량이 1 kg로 같은 아령 모양과 원기둥 모양의 표준 분동을 부피를 다르게 만든 후 공기 중에서 무게를 측정하는 실험을 했다. 실험 결과 부피가 큰 원기둥 모양의 표준 분동이 아령 모양의 표준 분동보다 공기 중에서 무게가 더 가볍게 나왔다. 부피가 클수록 공기의 부력을 많이 받으므로 부피가 큰 원기둥 모양의 표준 분동이 공기의 부력을 많이 받아 아령 모양의 표준 분동보다 무게가 더 가볍다.

## 탐구력 기르기　　　　　76~77쪽

**01** 모범답안 페트병 입구로 바람이 나오면서 촛불이 꺼진다.

해설 고무풍선을 잡아당겼다가 놓으면 페트병 안의 공기가 한꺼번에 밖으로 나오면서 힘이 생긴다. 이 힘으로 촛불을

끄고, 인형을 쓰러뜨리고, 종이컵 탑도 무너뜨릴 수 있다. 공기는 무게를 가지고 있기 때문에 힘이 생긴다.

**02** 모범답안 알루미늄 포일 공이 위로 솟아오른다.

해설 페트병을 누르면 페트병 안의 공기가 한꺼번에 밖으로 나오면서 힘이 생긴다.

**03** 모범답안
- 큰 페트병을 사용한다.
- 생수병처럼 부드러운 페트병을 사용한다.
- 페트병을 순간적으로 세게 누른다.

해설 알루미늄 포일 공을 위로 더 높이 올리기 위해서는 공기가 밀어주는 힘이 강해져야 한다.

**04** 모범답안 달에는 공기가 없기 때문에 촛불이 꺼지지 않고 알루미늄 포일 공이 튀어오르지 않는다.

해설 달은 중력이 작고, 낮에는 표면 온도가 높기 때문에 공기가 달에 머무르지 못하고 우주 밖으로 달아나버리므로 공기가 거의 없다.

# 정답 및 해설

## Ⅳ 소리의 성질

### 🌱 07 소리 내기

84~85쪽

**개념 기르기**

| 01 ⑤ | 02 ② | 03 ③ | 04 ④ | 05 ④, ⑤ |
| 06 ① | 07 ⑤ | 08 ④ | 09 ⑤ | 10 ②, ⑤ |
| 11 ② | | | | |

**01** 물체가 떨려야 소리가 난다. 유리잔으로 소리를 내려면 물을 넣고 유리잔을 손으로 문질러야 소리가 난다. 또는 유리잔을 젓가락이나 막대로 두드려도 소리가 난다. 물을 넣은 유리잔에 손가락을 대면 유리잔이 떨리지 않아 소리가 나지 않는다.

**02** 줄을 문질러서 소리를 내는 악기는 바이올린, 첼로, 아쟁, 해금 등이 있다. 징은 두드려서, 심벌즈는 부딪쳐서, 마라카스는 흔들어서, 가야금은 줄을 퉁겨서 소리를 내는 악기이다.

**03** 소리가 나는 스피커에서는 떨림이 느껴진다.

**04** 소리굽쇠를 막대로 치면 떨리면서 주변의 공기가 함께 떨리게 된다. 이 떨림이 귀에 전달되면 소리가 들리는 것이다. 종이를 소리가 나는 소리굽쇠에 가까이하면 소리굽쇠 주변의 떨림에 의해 종이가 떨리면서 소리가 나게 된다.

**05** ④ 소리가 나는 소리굽쇠 윗부분을 수조의 물 표면에 대면 물 위에 떨림이 생기고 파도치는 모양이 생기면서 작은 물방울이 튄다.
⑤ 소리가 나는 소리굽쇠를 손으로 잡으면 떨림이 멈춰 소리가 나지 않는다.

**06** 소리는 물체가 떨릴 때 생기고, 물체마다 떨리는 정도가 다르기 때문에 다른 소리가 난다. 소리는 진동이 귀에 전달되면 들을 수 있으므로 물체가 떨리지 않으면 소리를 들을 수 없다.

**07** 소리를 내면 북이 떨리면서 좁쌀이 튀어오른다.

**08** 소리의 높낮이는 관의 길이로 조절하고, 소리의 세기는 관을 부는 정도로 조절한다. 긴 관을 불면 낮은 소리가 나고 짧은 관을 불면 높은 소리가 난다. 관을 약하게 불면 작은 소리가 나고 세게 불면 큰 소리가 난다.

**09** 긴 음판을 두드리면 낮은 음이, 짧은 음판을 두드리면 높은 음이 난다.

**10** 고무줄 가야금은 줄의 길이로 소리의 높낮이를 조절하고 줄을 퉁기는 세기로 소리의 크기를 조절한다. 숟가락 실로폰은 숟가락 무게로 소리의 높낮이를 조절하고 숟가락을 두드리는 세기로 소리의 크기를 조절한다.
① 가장 긴 줄을 퉁기면 가장 낮은 소리가 난다.
③ 가장 큰 숟가락을 두드리면 가장 낮은 소리가 난다.
④ 가장 작은 숟가락을 두드리면 가장 높은 소리가 난다.

**11** ㉠ 세게 튕기면 자가 떨리는 폭이 크고, 약하게 튕기면 떨리는 폭이 작다. 자는 떨리는 폭이 클수록 큰 소리가 난다.
㉡ 길게 뺀 자는 천천히 떨리고, 짧게 뺀 자는 빠르게 떨린다. 진동수가 많을수록 높은 소리가 난다.

### 서술형으로 다지기

86~87쪽

**01** **모범답안** 트라이앵글을 손으로 잡으면 트라이앵글이 잘 떨리지 않기 때문이다.
**해설** 소리가 잘 나려면 물체가 잘 떨려야 한다. 트라이앵글을 손으로 잡으면 떨림이 금방 멈추므로 고리로 연결하거나 실로 연결하여 떨림이 계속 유지되도록 해 주어야 한다.

**02** **모범답안** 물체가 떨리는 방법이 다르기 때문이다.
**해설** 바이올린은 줄을 문질러 소리를 내는 현악기이고, 플루트는 관 속의 공기 진동으로 소리를 내는 관악기이다. 같은 음을 연주하여 소리의 세기와 높낮이가 같더라도 물체가 떨리는 방법에 따라 소리가 다르게 들린다. 이렇게 그 물체만이 갖는 고유의 소리 음색을 맵시라고 한다. 사람마다 목소리가 다른 것도 목의 구조와 성대의 모양에 따라 그 떨림이 다르기 때문이며, 같은 소리의 크기와 높낮이로 말해도 목소리를 구별할 수 있다.

**03** **모범답안** 공기 기둥이 길어지기 때문에 천천히 떨려 낮은 소리가 난다.

[해설] 리코더는 관 속의 공기가 떨리면서 소리가 나는 악기이다. 리코더 구멍을 많이 막을수록 공기 기둥이 길어져 천천히 떨리므로 낮은 소리가 나고, 구멍을 적게 막을수록 공기 기둥이 짧아져 빠르게 떨리므로 높은 소리가 난다.

**04** [모범답안] 헬륨은 공기보다 가볍기 때문에 빠르게 떨려 높은 소리가 난다.

[해설] 목소리는 성대 주변의 공기의 밀도에 따라 달라지는데 헬륨은 공기의 밀도보다 작기 때문에 소리의 떨림(진동수)이 많아져 높은 소리가 난다.

## 융합사고력 키우기

88~89쪽

**01** [모범답안] 말하는 코끼리, 코식이, 말하는 코끼리 코식이 음성 분석 등

[강의 Tip] 본문에서 말하는 내용을 함축적으로 표현할 수 있는 말을 생각해 본다.

**02** [모범답안] 코끼리는 사람보다 성대가 훨씬 커 천천히 떨리므로 저음을 낸다.

[해설] 코식이는 모음에 대해서는 유사도가 67 %에 이를 정도로 흉내를 잘 냈지만, 자음은 유사도가 21 %에 불과하다. 사람 언어의 근본적인 음향 요소를 포먼트(formant)라고 하는데 이를 '모음의 구성 요소'로 번역한다. 우리가 내는 말소리의 특징을 규정하는 데 모음이 매우 중요하다. 연구자들은 코식이가 한국어의 포먼트와 기본 진동수를 세밀하게 모방하고 있다고 설명했다.

**03** [모범답안] 코끝을 입 안에 넣은 뒤 혀를 눌러 빠르게 떨리게 하기 때문이다.

[해설] 사람이 들을 수 있는 진동수는 20~20,000 Hz이다. 코식이가 소리를 만드는 것은 마치 사람이 손가락을 입에 넣어 진동수가 높은 휘파람을 내는 것과 비슷하다. 휘파람이란 입 속 공간에 있는 공기가 떨리며 나는 소리로, 병을 불어서 소리를 내는 것과 마찬가지로 입 속 공간이 작을수록 소리가 높다. 똑같은 바람이 작은 크기의 구멍을 통과할 때 압력이 세져 고음이 난다.

## 🌱08 소리의 전달과 반사

### 개념 기르기

94~95쪽

| | | | | |
|---|---|---|---|---|
| **01** ① | **02** ④, ⑤ | **03** ⑤ | **04** ②, ③ | **05** ⑤ |
| **06** ② | **07** ② | **08** ②, ③ | **09** ④ | **10** ① |

**01** 큰 북을 치면 소리가 주변의 공기를 통해 전달되는데, 소리는 공기를 좌우로 흔들면서 전달되므로 촛불이 좌우로 흔들리는 모습을 볼 수 있다. 이 실험을 통해 소리가 공기를 통해 전달된다는 것을 알 수 있다.

**02** ④ 소리는 물속에서도 전달되기 때문에 수중 발레를 할 때 물속에서 소리를 들을 수 있다.
⑤ 실험을 통해 소리가 액체 상태인 물질을 통해 전달됨을 알 수 있다.

**03** ㉠ 소리를 잘 전달하는 순서는 고체＞액체＞기체 순이다. 고체는 물질을 이루는 알갱이의 간격이 좁아 소리를 더 빨리 옆 알갱이에게 전달할 수 있다.
㉡ 진공 속에서는 소리를 전달할 수 있는 물질이 없어 소리가 전달되지 못한다.
㉢ 소리는 물질이 있어야만 전달된다.

**04** ① 봉수대는 불이나 연기로 소식을 멀리까지 전달하였다.
② 전신기는 모스 부호를 통해 소리를 전달한다.
④ 스피커는 전기 신호를 소리로 변환시키는 장치이다.

**05** ② 여러 겹으로 이루어진 실 사이의 작은 공간에 물이 채워져 실이 더 단단해진다.
④ 용수철이나 구리선이 실보다 탄성력이 크기 때문에 떨림이 더 잘 전달된다.
⑤ 실 전화기는 실이 떨리면서 소리를 전달하기 때문에 실을 손으로 잡으면 실의 떨림이 잘 전달되지 않아 소리가 잘 들리지 않는다.

**06** ㉡ 원통 위에 나무판을 비스듬하게 대면 스피커의 소리가 나무판에 반사되어 조금 더 크게 들린다.
㉢ 원통 위에 비스듬하게 세운 나무판은 스피커의 소리를 반사한다.

**07** ③ 재질이 딱딱할수록 소리가 잘 반사된다.
④ 소리가 반사되어도 소리의 세기는 변하지 않으므로 소리를 들을 수 있다.
⑤ 음악당 천장은 소리가 잘 반사되도록 만들어야 모든 객석에서 소리를 잘 들을 수 있다.

**08** ①과 ⑤는 소리의 전달에 관한 것이고, ④는 소리를 내는 방법이다.

**09** 녹음실 벽에 소리를 흡수하고 밖으로 잘 전달하지 않는 물질을 붙인다.

**10** ②와 ④는 소음을 일으키는 원인을 줄이는 방법이고,③과 ⑤는 소리의 전달을 막는 방법이다.

## 서술형으로 다지기 96~97쪽

**01** 모범답안 달에는 소리를 전달할 수 있는 공기가 없어 소리가 전달되지 않으므로 메아리를 들을 수 없다.
해설 메아리는 소리가 주변으로 퍼져 나가다가 산에 반사되어 되돌아오는 소리이다. 하지만 달에는 소리를 주변으로 전달할 수 있는 물질이 없기 때문에 메아리 뿐만 아니라 공기를 통한 어떠한 소리도 들을 수 없다.

**02** 모범답안 목욕탕 벽과 바닥의 타일이 소리를 잘 반사하기 때문이다.
해설 목욕탕은 상자 모양의 형태로 되어 있어 소리가 퍼지지 않고 딱딱한 바닥과 벽에 반사되어 메아리친다. 자신의 소리와 반사되는 소리가 겹쳐지면서 웅장한 소리가 난다.

**03** 모범답안 휴대 전화는 소리를 전기 신호로 바꿔 멀리 전달하고, 전기 신호를 받은 휴대 전화는 신호를 다시 소리로 바꾼다.
해설 휴대 전화는 소리를 전기 신호(디지털 신호)로 바꿔서 멀리 전달한다. 이 전기 신호가 중계기를 타고 연결되어 상대방의 휴대 전화에서 다시 소리로 바뀐다. 소리는 아날로그 신호로, 멀리 전달되는 데는 한계가 있기 때문에 이를 간단한 디지털 전기 신호로 바꾼다. 디지털 신호는 2진법을 이용하기 때문에 정보의 손실이 없고 다시 아날로그 신호로 전환하는 데 유리하다.

**04** 모범답안 소리가 자갈에 부딪쳐서 흡수되기 때문에 소음이 적다.
해설 바퀴와 레일의 마찰로 생긴 진동은 높은 진동수의 소음이 된다. 소리는 평평한 콘크리트에 부딪치면 그대로 주위로 반사되면서 퍼져나가지만, 자갈이 깔려 있으면 자갈에 소리가 부딪치면서 흡수되어 약해진다. 또한, 레일의 형태가 틀어지지 않도록 일정한 간격으로 나무를 덧대어 고정하는데 이때 자갈이 나무를 단단히 고정하고, 무거운 기차가 지나다니면 선로가 점점 땅속으로 박히거나 주변이 훼손될 수 있는데 자갈이 있으면 선로에 가해지는 충격과 무게를 분산시킨다. 기차가 빠르게 달릴 때 흙이나 모래 먼지가 날리지 않도록 하고 멀리 퍼지는 것을 막아주며, 잡초가 자라는 것을 막는다.

## 융합사고력 키우기 98~99쪽

**01** 모범답안 소음
해설 소음은 주관적이기 때문에 다른 사람은 듣기 좋은 소리이나 자신에게는 듣기 싫은 소음이 될 수 있다. 그래서 일반적으로는 소리의 크기로만 제한하며 종류를 가리지 않는다. 일반적으로 주거 지역에서는 낮에는 40 dB, 밤에는 35 dB가 넘어가면 소음으로 인정된다.

**02** 모범답안 감각 기관에 혼란이 생기고 어지럽고 서 있기 힘들어서 주저앉게 될 것이다.
해설 벽, 바닥, 그리고 천장 등에서 반사되는 음향이 0에 가깝도록 설계된 무향실은 현재 기네스북에 '세상에서 제일 조용한 방'으로 등재돼 있다. 이 방은 약 1 m 두께의 섬유 유리와 절연 처리된 이중벽, 그리고 약 30 cm 정도 두께의 벽으로 되어 있다. 소음이 차단된 방에서는 귀의 청력도 그 환경에 적응을 한다고 알려졌다. 그래서 조용해질수록 더 귀를 기울이게 되고, 조금 있으면 심장 박동 소리나 인체 내부의 장기가 움직이는 소리까지 들을 수 있다. 따라서 신체 기관의 운동 자체가 생소한 소음이 되어 뇌의 감각 기능에 혼란을 가져오기 때문에 무향실에서 대부분 40분을 넘기지 못한다. 무향실은 주로 기계의 소음 측정 장소로 활용된다.

**03** 모범답안
• 자동차의 경적 소리를 내지 못하게 하거나 속도를 제한한다.
• 공사 현장의 작업 시간을 조절한다.

• 시끄러운 소리가 나는 공장에 방음 시설을 설치한다. 등

**해설**

• 소음원 대책 : 소음을 발생하는 기계 등을 설계할 때 소음을 가장 적게 발생하도록 설계한다.

• 소음 전파 방지 대책 : 소음원이 위치한 공간에 흡음재를 사용하여 소음의 반사음을 최대한 억제하고, 소음의 직접음 전파는 차음재를 사용하여 차단한다. 흡음재의 재료로는 비닐막, 합판, 타일, 유리 섬유, 구멍 뚫린 합판 또는 철판 등을 사용하며, 차음재의 재료는 콘크리트, 시멘트 블록, 붉은 벽돌, 목재 등을 쓴다.

• 차량 및 항공기 운행 대책 : 차량의 속도 제한, 항공기의 심야 운행 제한, 그리고 시내 차량의 원활한 교통 소음을 위한 교통 처리 등이다. 자동차 소음은 속도에 따라 증가하고, 정차 및 출발 시에 소음이 나므로 원활한 교통 처리는 소음을 줄이는 데 효과적이다.

## 탐구력 기르기　　　　　100~101쪽

**01** **모범답안** 고무줄이 떨리면서 소리가 만들어진다.
**해설** 소리는 물체의 떨림에 의해 발생한다.

**02** **모범답안**
• 느슨한 고무줄을 퉁겼을 때 : 낮은 소리가 난다.
• 팽팽한 고무줄을 퉁겼을 때 : 높은 소리가 난다.
• 고무줄 제일 윗부분을 잡았을 때 : 낮은 소리가 난다.
• 고무줄 아랫부분을 잡았을 때 : 더 높은 소리가 난다.
**해설** 고무줄이 팽팽할수록 높은 소리가 나고, 고무줄의 길이가 짧을수록 높은 소리가 난다.

**03** **모범답안** 소리가 점점 높아진다.
**해설** 줄의 길이가 짧아질수록 높은 소리가 난다.

**04** **모범답안**
• 가장 높은 소리를 내는 악기 : 바이올린
• 가장 낮은 소리를 내는 악기 : 더블베이스
• 이유 : 악기가 작을수록 현의 길이가 짧고 현의 굵기가 가늘기 때문에 높은 소리가 난다.
**해설** 크기가 가장 작은 바이올린이 가장 높은 소리를 내고, 크기가 가장 큰 더블베이스가 가장 낮은 소리를 낸다. 바이

올린은 '2옥타브 미' 음부터 '최대 7옥타브 레' 음까지 연주한다. 비올라는 '1옥타브 라' 음부터 최대 '5옥타브 라' 음까지 연주한다. 첼로는 '1옥타브 도' 음부터 최대 '4옥타브 라' 음까지 연주한다. 더블베이스는 주로 '3옥타브' 음을 연주한다.

# 안쌤이 추천하는
# 영재교육원 대비 3,4학년 로드맵

## STEP
**개념+창의력**

안쌤의 최상위 초등 줄기과학 시리즈 `학기별 8강, 총 32강`

## STEP
**문제해결력**

안쌤의 창의적 문제해결력 시리즈 `수학 8강, 과학 8강`

## STEP
**실전테스트**

안쌤의 창의적 문제해결력 시리즈 `과학 50제, 수학 50제, 모의고사 4회`

# 안쌤의
# 창의적 문제해결력 시리즈

**초등 1~2 학년**

**초등 3~4 학년**

**초등 5~6 학년**

**중등 1~2 학년**

# 안쌤의
# 줄기과학 시리즈

새 교육과정
3~4학년
학기별
STEAM 과학

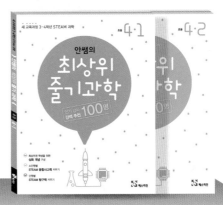

3-1 **8강**  3-2 **8강**　　　　4-1 **8강**  4-2 **8강**

새 교육과정
5~6학년
학기별
STEAM 과학

5-1 **8강**  5-2 **8강**　　　　6-1 **8강**  6-2 **8강**

새 교육과정
중등 영역별
STEAM 과학

물리학 24강　화학 16강　생명과학 16강　지구과학 16강　　　물리학 워크북　　화학 워크북